APOCALIPSE HOJE

Pe. FLÁVIO CAVALCA DE CASTRO, C.Ss.R.

APOCALIPSE HOJE

Pequeno comentário ao livro do Apocalipse

Direção Editorial: Pe. Fábio Evaristo R. Silva, C.Ss.R.
Coordenação Editorial: Ana Lúcia de Castro Leite
Revisão: Denis Faria
Diagramação e Capa: Mauricio Pereira

Imagem da capa: The painting of Last Judgment in church Marienkirche
Michael Ribestein (1558)

Dados Internacionais de Catalogação na Publicação (CIP)
(Câmara Brasileira do Livro, SP, Brasil)

Castro, Flávio Cavalca de
Apocalipse hoje: pequeno comentário ao livro do Apocalipse / Pe. Flávio Cavalca de Castro. – Aparecida, SP: Editora Santuário, 2018.

ISBN 978-85-369-0534-1

1. Bíblia N.T. Apocalipse – Comentários I. Título.

18-13703 CDD-228.07

Índices para catálogo sistemático:

1. Apocalipse: Comentários 228.07

5 ª impressão

Rua Pe. Claro Monteiro, 342 – 12570-000 - Aparecida-SP
Tel.: 12 3104-2000 – Televendas: 0800 - 16 00 04
www.editorasantuario.com.br
vendas@editorasantuario.com.br

PREFÁCIO

Este livro não tem a pretensão de querer dar uma contribuição ao progresso das ciências escriturísticas. Ele quer, isto sim, ter um cunho eminentemente exegético-pastoral. Não é o critério científico que lhe vai dar a forma, mas as exigências pastorais de hoje. Ele quer ser uma ajuda para os cristãos de todas as camadas, eruditos ou simples, na leitura e compreensão da Bíblia, no mundo de hoje. Não quer, de modo algum, ser um manual de estudo.

É antes um livro de oração.

O autor, doutor em Teologia Dogmática, Pe. Flávio Cavalca de Castro, não é um especialista das Sagradas Escrituras, mas é um grande entendido da Bíblia, em função da disciplina em que se doutorou. É doutor em Teologia. Este livro está constituído por uma série de palestras que o Pe. Flávio proferiu pelos microfones da Rádio Aparecida. O que me surpreendeu neste livro foi a capacidade do autor de torná-lo agradável e curioso tanto para uma pessoa culta e erudita como para uma de cultura mais reduzida. E acredito que este livro vai agradar, porque está ao alcance de todos e não tem as complicações dos livros técnicos e científicos do gênero.

Parabéns, Pe. Flávio. E estou certo que os que lerem este livro irão dizer-lhe o que eu disse: "Parabéns"!

Pe. Francisco Costa, C.Ss.R.

INTRODUÇÃO

Primeiro contato

Certamente você costuma ler o Novo Testamento. Muitas vezes o terá folheado, chegando até o último livro: o *Apocalipse*. Já o próprio nome causa certa surpresa. Apocalipse! O que vem a ser isso? Ainda mais que já ouviu dizer que esse é um livro muito difícil de se entender. Já encontrou até pessoas que, apoiadas em certas interpretações do Apocalipse, falam coisas estranhas sobre o fim do mundo, o Anticristo, querem adivinhar o futuro, anunciam guerras, pestes e terremotos, dizendo que isso tudo já estaria anunciado nesse último livro da Bíblia.

Talvez levado por tudo isso, você nem tenha tido coragem de começar a leitura. No entanto, o Apocalipse é também palavra de Deus como todo o resto da Escritura. Deve, pois, servir para nossa salvação. Não o podemos deixar de lado se queremos ter uma ideia mais completa do plano de Deus.

Mas é também possível que você tenha começado a ler, quem sabe, saltando de trecho em trecho, à medida que a leitura se tornava mais difícil. Qual teria sido sua impressão? Vamos tentar reviver essa primeira impressão geral. Você começou a ler:

> *"Apocalipse de Jesus Cristo. Apocalipse que Deus lhe deu, para manifestar a seus servos as coisas que brevemente devem acontecer. Ele enviou seu anjo para anunciar esse Apocalipse a seu servo João, o qual testifica como palavra de Deus e testemunho de Jesus Cristo tudo o que viu".* (1,1-2)

As palavras seguintes animam-nos a continuar a leitura:

> *"Feliz aquele que lê, e felizes os que ouvem as palavras desta profecia e guardam as coisas que nela estão escritas, porque o tempo está próximo".* (1,3)

Logo a seguir, encontramos uma espécie de carta dirigida a sete igrejas da Ásia, nas cidades de Éfeso, Esmirna, Pérgamo, Tiatira, Sardes, Filadélfia e Laodiceia. Conta-se uma visão que João teve e cada uma das sete igrejas recebe uma mensagem especial. Até esse ponto a linguagem do livro não é assim tão obscura. Mas logo a seguir somos transportados ao céu:

> *"Depois destas coisas, olhei e vi uma porta aberta no céu. E a primeira voz que ouvi, e que falava como o som de uma trombeta, disse: 'Sobe até aqui e eu lhe mostrarei as coisas que devem acontecer depois destas!' Logo fui arrebatado em espírito e vi um trono no céu, no qual alguém estava sentado. Seu rosto brilhava como as pedras preciosas; e um arco-íris semelhante à esmeralda rodeava o trono... Do trono saíam relâmpagos e trovões. Diante do trono ardiam sete lâmpadas de fogo... Diante do trono havia ainda como que um mar de vidro, semelhante ao cristal... E vi na mão direita do que estava sentado sobre o trono um livro em forma de rolo. O livro estava escrito dos dois lados e estava selado com sete selos. Vi, então, um anjo forte que bradava em alta voz: 'Quem merece quebrar os selos e abrir o livro?'*
> *Mas não havia ninguém, nem no céu, nem na terra, nem debaixo da terra que pudesse abrir o livro ou olhar para ele...*
> *A seguir olhei, e vi no meio do trono... um cordeiro de pé, como que imolado. Tinha sete chifres e sete olhos... Vi, então, o cordeiro quebrar o primeiro dos sete selos..."* (Cap. 4 e 5)

Se você ler toda a passagem, poderá notar uma linguagem bastante estranha. Se continuar a leitura, vai encontrar a visão de um cavaleiro, montado em um cavalo branco, outro, montado em um cavalo vermelho, outro, em um cavalo preto, depois um outro em um cavalo amarelo. Há depois um terremoto, o sol escurece, a lua fica vermelha como sangue, as estrelas caem sobre a terra como frutos derrubados pelo vento. O que significa tudo isso? Será que está sendo anunciado o fim do mundo?

No capítulo oitavo, encontramos sete anjos que começam a tocar sete trombetas:

> *"O terceiro anjo tocou a trombeta, e caiu do céu uma grande estrela, ardendo como uma tocha. Caiu sobre a terça parte dos rios e das fontes... Uma terça parte das águas se tornou amarga e por isso muitos homens morreram ao beber dessas águas..."*

Abra agora no capítulo treze:

> *"Vi, então, subir do mar, um monstro. Tinha sete cabeças e dez chifres. Tinha uma coroa em cada chifre e blasfêmias escritas nas cabeças. O monstro que vi era semelhante a um leopardo, com patas como as de urso e boca como a de leão.*
> *Vi, então, um outro monstro subir da terra; tinha dois chifres semelhantes aos de carneiro, mas falava como um dragão... Quem for inteligente pode calcular o número do monstro, pois o número representa o nome de um homem. Seu número é 666..."*

Mais uma vez é o caso de se perguntar: O que significa tudo isso? Como podemos entender essas visões tão absurdas? Será que o autor do Apocalipse teve realmente essas visões? Nisso tudo haverá afinal algum ensinamento para nós? São anúncios de coisas que vão acontecer no futuro, ou são coisas que já aconteceram ou estão acontecendo?

Vamos olhar um pouco o capítulo dezessete:

> *"Então, um dos sete anjos veio dizer-me: 'Venha e mostrar-lhe-ei como será castigada a grande prostituta, que está sentada perto de muitos rios...' Ali eu vi uma mulher sentada num monstro vermelho... O monstro tinha sete cabeças e dez chifres. A mulher estava vestida de um tecido vermelho vivo e adornada de enfeites de ouro, de pedras preciosas e de pérolas..."*

Quem é essa mulher? O que significa a cidade de Babilônia que será destruída?

Perguntas e mais perguntas. Responder a cada uma em particular seria difícil se não tivéssemos uma visão geral de todo o livro, de seu estilo, de sua finalidade, do tempo e das circunstâncias em que surgiu. É o que vamos procurar nas páginas seguintes.

Quando

O Apocalipse, em sua forma definitiva, surgiu lá pelo ano 95 d.C. Ainda que algumas de suas partes possam ter sido escritas antes, é principalmente o ambiente desse final do século primeiro que devemos levar em conta para compreender a mensagem desse último livro da Escritura.

Os últimos anos do século primeiro foram anos difíceis para a comunidade cristã, principalmente para as comunidades da Ásia Menor, região onde atualmente estão a Turquia, a Síria, o Líbano... As dificuldades e tribulações eram muitas e grandes.

Havia em primeiro lugar as dificuldades internas das próprias comunidades. Depois dos primeiros anos de entusiasmo, havia muitos cristãos caindo no relaxamento, e mesmo os chefes das comunidades nem sempre eram o que deviam ser. Os apóstolos fundadores já tinham desaparecido e começavam a surgir doutrinas perigosas e falsas que se afastavam do verdadeiro Evangelho. Esses desvios eram os resultados daquelas tendências que já tinham aparecido nos primeiros anos da comunidade cristã e que procuravam a todo custo manter uma fidelidade, maior ou menor, às tradições do judaísmo.

Essas tendências, levadas ao exagero, diminuíam o papel de Cristo como Salvador e ao mesmo tempo levavam a certas esperanças infundadas de uma manifestação política do poder do Messias.

A outra fonte de desvios eram ideias pagãs que levavam a considerar o mundo governado por dois princípios igualmente poderosos: o Princípio do Bem e o Princípio do Mal. O Princípio do Mal dominaria todo o mundo material. Por isso alguns chegavam a dizer que o casamento era obra do Diabo e não merecia respeito. Chegaram a apresentar como coisa certa e normal todos os absurdos sexuais. Eram muitos os falsos profetas que desorientavam as comunidades e as levavam ao desespero.

Como se isso não bastasse, havia as dificuldades que vinham de fora: as perseguições. Inicialmente, eram mais ou menos boas as relações entre a comunidade cristã e as autoridades do Império Romano. Várias vezes São Paulo recomendou a obediência às leis e às autoridades. Acontece, porém, que a partir do ano 64 começou uma mudança. O imperador Nero começou uma grande perseguição contra os cristãos de Roma e dos arredores. A situação tornou-se ainda pior com o imperador Domiciano, do ano 81 até 96. Com esse imperador a perseguição atingiu as comunidades de todas as regiões, principalmente as da Ásia Menor. Mais do que os imperadores anteriores, ele fazia questão de ser considerado como um Deus. Muitos templos foram construídos em honra do imperador e da deusa Roma. Essa divinização era uma tentativa de dar uma base religiosa ao poder político. É fácil compreender que os cristãos não podiam aceitar o imperador como deus, nem lhe oferecer sacrifícios. Foram por isso terrivelmente perseguidos. Natural que muitos se sentissem desanimados e se perguntassem: *"Se Jesus é nosso Salvador, se ele venceu o mal, como se explica que o mal continue assim com todo esse poderio? Até quando vamos continuar nessa situação? O que podemos esperar? Será que fomos abandonados por Deus?"*

Esse sentimento de quase desespero era ainda aumentado pelas calamidades da guerra, da peste, da fome, dos terremotos. A cidade de Jerusalém tinha sido destruída, os cristãos viviam em grandes dificuldades. O fim do mundo parecia estar perto.

Pois bem. Foi para a Igreja que vivia esses momentos difíceis que o Apocalipse foi escrito. Teremos de levar isso em conta se quisermos compreender bem a mensagem de Deus. Mensagem que não valia apenas para os cristãos daqueles tempos: vale também para nós e para os cristãos de todos os tempos. O Apocalipse não é um livro escrito para satisfazer nossa curiosidade sobre o futuro. Não é um livro para nos encher de medo e de pavor com visões terríveis do fim do mundo. Pelo contrário: é um livro escrito para nos encher de confiança, no presente e no futuro. Podemos ter confiança e esperança porque o Cristo continua conosco. A vitória final será de Deus, apesar de todas as aparências contrárias.

O Apocalipse e os Apocalipses

As mesmas circunstâncias deram origem a outros livros semelhantes que não foram escritos por inspiração de Deus e que por isso não fazem parte da Bíblia. Isso também não era novidade. Já antes de Cristo, quando o povo judeu passava por grandes dificuldades, apareceram livros com o estilo e a finalidade do Apocalipse. Examinando essas dificuldades e os livros que foram escritos para lhes dar resposta, iremos compreender um pouco mais o estilo do Apocalipse e estaremos preparando o terreno para podermos perceber seu valor e sua mensagem.

O povo judeu tinha sempre vivido na esperança da salvação prometida por Deus. Em muitos ambientes essa salvação quase se confundia com vitória sobre os inimigos e o estabelecimento da independência e da soberania nacional, chegando até mesmo a esperança de um domínio sobre todos os povos. Lado a lado com esse tipo de esperança político-material, havia também em outros ambientes judeus a esperança de uma salvação mais moral e espiritual. Uns setecentos anos antes de Cristo, o povo judeu caiu completamente sob o domínio de estrangeiros; a situação foi piorando cada vez mais, Jerusalém foi destruída e grande parte do povo foi levada para longe da pátria. Uns duzentos anos depois começou a surgir a esperança de um restabelecimento, mas o povo continuava diante do perigo das ideias e do modo de vida dos pagãos. Para manter a fidelidade à lei de Deus, passou por grandes perseguições. Já não podia contar com a presença de grandes personalidades como os profetas do passado, que o orientassem em nome de Deus.

Nessa situação de calamidade nacional e religiosa, começaram a aparecer alguns escritos de um tipo novo. Seus autores procuravam reencontrar nas Escrituras do passado as grandes promessas, para assim reanimar a confiança do povo. Procuravam mostrar que, apesar de tudo, Deus iria salvá-lo. Anunciavam para logo o fim de todas as tribulações, porque Deus estava para chegar como juiz. Iria acabar com o presente estado de coisas, e por seu poder começaria como que um mundo novo.

Para descrever essa intervenção de Deus como juiz e salvador, esses livros usavam de um modo tradicional de falar: o poder de Deus e seus castigos serão como terremotos, guerras, pestes e fome. O dia do Senhor será terrível, como se os astros e as estrelas estivessem caindo do céu. Mas será também maravilhoso como um grande dia de festa e de triunfo, como os dias de festa e de triunfo celebrados no grande tempo em Jerusalém. Será como uma nova criação, uma nova saída do Egito. Também as tribulações, então vividas pelo povo, eram descritas de um modo tradicional, com uma linguagem cheia de símbolos e figuras que não deviam ser tomados ao pé da letra. É claro que essa linguagem era facilmente compreendida pelo povo daquele tempo; bem mais facilmente do que por nós. Era tradição também que os autores desses livros apresentassem sua mensagem como tendo sido recebida através de visões e revelações misteriosas. Justamente por isso esses escritos se chamam "apocalípticos". "Apocalipse" quer dizer "revelação", "manifestação" de coisas ocultas, só conhecidas e manifestadas por Deus. É bom lembrar também que, muitas vezes, os autores apresentavam seus livros como se fossem escritos por grandes personagens do passado: Isaías, Daniel e outros. Procuravam assim conseguir maior autoridade.

No livro de Isaías, capítulos de 24 a 27, temos um exemplo de Apocalipse do Antigo Testamento. Possivelmente esses capítulos foram escritos lá pelo ano 485 a.C., quando a grande cidade da Babilônia foi conquistada pelo rei Xerxes. Babilônia era a própria imagem da perseguição e da opressão contra o povo de Deus. O autor aproveita a oportunidade para mostrar nesse fato a manifestação do poder de Deus, sempre pronto a salvar seu povo. Vamos ler algumas passagens, prestando atenção na linguagem empregada:

> *"Eis que o Senhor devasta a terra, parte-a pelo meio... e dispersa os seus habitantes... A terra está desolada e deserta, o mundo está chegando ao fim, as montanhas definham porque os habitantes da terra não obedeceram a lei... Naquele dia o Senhor fará justiça ao exército dos céus e aos reis da terra aqui em baixo... a lua ficará vermelha de vergonha e o sol ficará pálido..."* (Is 24,1-23)

Logo depois é anunciada a salvação, descrita como um banquete, onde os justos se alegram e louvam a bondade de Deus. O povo do Senhor será como uma vida protegida, bem vigiada. Começará um tempo de vitória e de paz, o povo estará novamente reunido e novamente será livre. Não deixe de ler esses capítulos (24 a 27) do livro de Isaías.

Temos um outro exemplo no livro de Daniel. Lá pelo ano 165 a.C., o povo estava sendo perseguido pelo rei Antíoco. O autor, inspirado por Deus, apoiando-se na autoridade de Daniel que era um herói do passado, procura consolar e confortar o povo. É o que bem poderíamos chamar de "Apocalipse de Daniel". Vamos ver apenas um exemplo, tomado do capítulo 7:

> *"Eu, Daniel, via durante a visão noturna, os quatro ventos do céu agitarem o Grande Mar. E quatro animais enormes, um diferente do outro, subiam do mar. O primeiro era semelhante a um leão e tinha*

> *asas de águia. Eu estava olhando, quando suas asas lhe foram arrancadas, e foi erguido da terra e posto de pé sobre seus pés como um homem, e lhe foi dado um coração de homem. Vi então outro animal semelhante a um urso... Depois outro animal como uma pantera; tinha quatro asas e quatro cabeças... Vi um quarto animal, medonho, espantoso e extraordinariamente forte. Tinha dentes de ferro... Tinha dez chifres..."* (Dn 7,1-8)

Logo a seguir, o próprio autor dá a interpretação da visão: os animais representam os reinos e os reis perseguidores. E deixa claro que a vitória final será de Deus:

> *"O reino, o poder e a grandeza dos reinos que existem sob o céu serão dados ao povo dos santos de Deus: Seu reino será um reino eterno; a ele todos os poderosos servirão e prestarão obediência..."* (Dn 7,27)

Desde agora podemos também notar como esses escritores costumam, muitas vezes, falar de acontecimentos passados ou presentes como se fossem acontecimentos futuros. Isso faz parte de seu estilo e era perfeitamente sabido pelos leitores do tempo.

Também em outros livros do Antigo Testamento encontramos passagens com o estilo e a finalidade dos Apocalipses. Como exemplo, temos os livros de Ezequiel, Joel e Zacarias.

Nos dois últimos séculos antes de Cristo surgiram muitas obras apocalípticas que não fazem parte da Bíblia. São alguns dos assim chamados "livros apócrifos". Só por curiosidade vamos lembrar: "Apocalipse de Abraão", "Apocalipse de Baruc", "de Elias", "de Moisés", "Livro de Henoc", "Testamento dos Doze Patriarcas" e outros mais. O mesmo continuou acontecendo nos três primeiros séculos depois de Cristo. Desse tempo podemos lembrar os "Apocalipses" de Pedro, de Paulo, de Tomé, de Estêvão, de Maria, e de outros.

Todas essas obras, mesmo as inspiradas por Deus, obedecem a um mesmo estilo, usam a mesma linguagem. Por agora, vamos ver um esquema geral de composição. Isso é importante. Se podemos acompanhar uma novela, um romance, uma poesia, é porque conhecemos os esquemas de composição usados hoje em dia. Se queremos compreender o Apocalipse precisamos ter uma ideia geral de seu esquema. Resumidamente é o seguinte:

1. A salvação é sempre prometida para o fim do mundo, quando chegará o *"Dia do Senhor"*, que vem julgar para salvar ou condenar.

2. Antes desse *"dia"* haverá um tempo em que os maus vão aparentemente dominar. O povo de Deus será perseguido, quase perderá a confiança a ponto de sucumbir. Por isso recorre a Deus, esperando dele a salvação que não pode conseguir por si mesmo.

3. As coisas deste mundo parecem estar completamente colocadas sob o poder do demônio. Anunciam-se um novo céu e uma nova terra.

4. Depois do julgamento final de Deus, haverá o triunfo da ressurreição ardentemente esperada.

5. Há sempre uma tentativa de descobrir e indicar o tempo em que acontecerão todas as coisas anunciadas, ainda que de modo misterioso.

6. Todos os Apocalipses são escritos em uma linguagem especial, cheia de figuras e simbolismos.

A linguagem apocalíptica

A linguagem usada pelo autor do Apocalipse é uma das principais causas de sua obscuridade para nós. Nem por isso o Apocalipse é o único livro obscuro. Na literatura podemos encontrar livros antigos e modernos que podem ser compreendidos somente se tivermos uma chave de interpretação. No caso do Apocalipse, o problema é maior. Para termos uma chave de interpretação, temos de recorrer à linguagem usada por outros Apocalipses anteriores ou contemporâneos, temos de levar em conta as imagens tomadas do Antigo Testamento, temos de, finalmente, respeitar o código de significações criado pelo próprio autor. Nunca poderemos compreender o Apocalipse se tomarmos ao pé da letra as descrições e as afirmações.

Vamos, pois, examinar algumas particularidades da linguagem apocalíptica. Serão apenas alguns exemplos; outros irão aparecendo à medida que formos tomando contato com o texto de João.

Os números. Para nós os números têm um sentido preciso, indicam tamanho e quantidade de forma exata. Mil pessoas são mil pessoas, nenhuma a mais nem a menos. Fazemos questão de pagar ou de receber exatamente o que os números indicam. Estaremos em grande dificuldade se quisermos aplicar essa mentalidade na leitura do Apocalipse. Vamos ver alguns exemplos:

> *"Então vi um cordeiro de pé no meio do trono... Ele tinha sete chifres e sete olhos, que são os sete espíritos de Deus mandados a toda a terra".* (5,6)

Podemos imaginar um carneiro assim, com sete chifres e sete olhos?

> *"Então disseram-me o número dos que foram marcados com o carimbo de Deus em suas testas: eram 144 mil."* (7,4)

Será que os salvos serão apenas 144 mil, como alguns imaginam?

> *"Agarrou o dragão... isto é o Diabo ou o Satanás e o amarrou por mil anos."* (20,2)

Quando começaram esses mil anos? Quando vão terminar, ou será que já terminaram?

No capítulo 21, encontramos a descrição da Jerusalém celeste. No versículo 16 lemos que um anjo media o tamanho da cidade:

> *"Mediu a cidade e ela tinha doze mil estádios de comprimento, de largura e de altura".*

Ao pé da letra, 12 mil estádios correspondem a 2.200 km. Isso quer dizer que a cidade celeste teria 555 km de comprimento, de largura e de altura! E apesar dessa imensa altura, sua muralha teria apenas 72 metros de altura.

Parece que bastam esses exemplos para mostrar que os números devem ter um significado especial no Apocalipse.

O número *três* indica geralmente que alguma coisa se refere a Deus.

O *sete* é o número da perfeição, da força, do poder. A imperfeição, a fraqueza, são indicados pelo número *seis* (sete menos um). *Quatro* é o número das coisas do mundo material: os quatro pontos cardeais, os quatro ventos, os quatro elementos de todas as coisas: terra, água, fogo e ar. O número *doze* (três vezes quatro) é o número do povo de Deus nesta terra. *Mil* indica uma multidão que ninguém pode contar. Por isso: 12x12x1.000= 144 mil, é o número, que ninguém pode imaginar, do povo de Deus reunido na salvação final.

As cores. Têm fundamentalmente um valor simbólico. O *branco* indica a alegria, a pureza, a vitória. O *vermelho* indica a violência; o *púrpura* significa o luxo e a imoralidade.

As coisas. O *chifre* é o poder e a força; o *olho* é o conhecimento e a sabedoria; a *espada* é a separação, a destruição, o julgamento; o *bronze* é a firmeza.

Para transmitir sua mensagem, o autor do Apocalipse usa de todas essas figuras. Descreve suas visões com uma infinidade de pormenores. Nem sempre seria possível imaginar as figuras como ele as descreve. Como, por exemplo, poderíamos imaginar um monstro com sete cabeças, com dez chifres? Ou, como imaginar o Cristo com uma espada saindo de sua boca?

Acontece que o autor não está querendo fazer-nos imaginar nada: ele vai acumulando todos esses pormenores, cada um com seu significado, para nos transmitir um ensinamento. No capítulo primeiro, versículos de 12 a 16, por exemplo, ele quer apresentar-nos o Cristo como Deus (cabelos brancos), que sabe tudo (olhos brilhantes como fogo). O Cristo que é invencível (pés de bronze), é rei e senhor (túnica comprida e cinto de ouro), é juiz (espada que sai da boca), é senhor e protetor da Igreja (as sete estrelas em sua mão).

No capítulo 21, encontramos uma descrição da salvação final. Em vez de falar em termos abstratos, o autor apresenta-nos a segurança de uma cidade fortificada, protegida por muralhas e torres; a alegria de uma cidade maravilhosa, toda de ouro e pedras preciosas; a felicidade dos que vivem iluminados por um sol que é o próprio Deus.

Levando em conta essas observações iniciais, vamos entrar em contato com o próprio texto do Apocalipse. Afinal, as introduções não podem ser longas demais.

I

A MENSAGEM, O MENSAGEIRO, OS DESTINATÁRIOS

É muito prático se, ao abrirmos um livro, temos logo uma ideia de seu conteúdo, sabendo a quem se dirige, quem é seu autor, quais as suas credenciais e o que pretende. Tudo isso encontramos logo no primeiro capítulo do Apocalipse.

Título e conteúdo

Os antigos não economizavam palavras no título de seus livros. Bem ao contrário do que se faz hoje em dia. Em nosso caso podemos considerar os três primeiros versículos como o título do Apocalipse:

> *"Revelação de Jesus Cristo. Revelação que Deus lhe deu para mostrar a seus o que vai acontecer brevemente. Revelação manifestada com sinais por meio de seu Anjo enviado a seu servo João, que garante tudo o que viu, como sendo a Palavra de Deus e o Testemunho de Jesus Cristo.*
> *Feliz aquele que lê e felizes aqueles que ouvem as palavras desta profecia e guardam o que nela está escrito: pois o Tempo está próximo".* (1,1-3)

A palavra forte é *Revelação*, que em grego se diz: *Apocalipse*, e ficou sendo como que o nome abreviado para todo o livro. *Revelação* é a manifestação, a publicação de um segredo. Na Escritura, indica sempre a manifestação da vontade de Deus, de seus planos, do que pretende fazer para realizar suas promessas de salvação. Jesus é, ao mesmo tempo, o conteúdo principal dessa revelação de Deus e o mensageiro, o *Anjo*, que a anuncia. As palavras do Cristo, e principalmente sua presença entre nós, tornam possível compreender o sentido dos acontecimentos, ajudam-nos a perceber como, de fato, Deus vai orientando tudo para nossa salvação. É exatamente isso que todo o livro irá mostrar para aqueles cristãos do primeiro século e também para nós.

Essa compreensão dos planos de Deus não é o resultado de especulações humanas. É um conhecimento que vem de Deus pelo Cristo e chega até nós na medida em que participamos da comunidade dos servos de Deus, aceitando o testemunho de João, nosso irmão.

João, aliás, faz questão de se apresentar como *testemunha*. Ele assume um compromisso com Deus e com seus leitores. Garante que vai dizer só a verdade e toda a verdade. Para que não reste dúvida, apresenta suas credenciais: recebeu uma missão, foi escolhido pelo próprio Deus para ser seu mensageiro.

Neste ponto surge espontaneamente a pergunta: Quem é esse João? Possivelmente você responda que é o mesmo João, autor do quarto evangelho e discípulo do Senhor. É possível. Essa aliás é a tradição conservada por muitos escritores cristãos (Santo Irineu, São Clemente de Alexandria, Tertuliano) do final do segundo século. Nem por isso se pode falar de uma tradição unânime. Se por um lado o Apocalipse mostra certas semelhanças com o quarto evangelho, apresenta outras características que parecem indicar um outro autor. Tanto mais que entre os especialistas não existe clareza se o livro foi composto todo ao mesmo tempo ou se é o resultado de vários escritos anteriores. O que podemos afirmar com toda a certeza é que o Apocalipse foi escrito por inspiração divina e faz parte da Sagrada Escritura. Os três primeiros versículos terminam proclamando felizes os leitores ou ouvintes da profecia do Apocalipse "pois o Tempo está próximo". Em que sentido o livro é uma profecia e qual o "Tempo" que está próximo? Isso irá ficando claro à medida que formos avançando na leitura.

Dedicatória do Livro

Não é fácil apresentar uma divisão aceitável do Apocalipse. Há muitas opiniões entre os estudiosos. Há, contudo, uma divisão que logo se percebe: uma primeira parte traz sete cartas a sete comunidades; uma outra, uma série de visões proféticas.

A série de sete cartas determinou a dedicatória do livro:

> *"Eu, João, escrevo para sete igrejas que estão na Ásia. Para vocês a graça e a paz da parte daquele que é, que era e que há de vir, da parte dos sete espíritos que estão diante de seu trono, e da parte de Jesus Cristo, que é a testemunha fiel, o primogênito dos mortos e o chefe dos reis da terra".* (1,4-5a)

Era assim, ou de modo semelhante, que os antigos costumavam começar suas cartas. Veja, por exemplo, o início da carta de Paulo aos Gálatas: *"Eu, Paulo, escrevo esta carta... com todos os irmãos que estão comigo, para as igrejas da Galácia. Que a graça e a paz de Deus, nosso Pai, e do Senhor Jesus Cristo... estejam com todos vocês".*

É bom saber que essas introduções geralmente já estão cheias de ensinamentos e são como que um resumo da fé cristã.

João escreve para sete igrejas. Por que só para sete? Uma primeira resposta é bastante simples: era com essas igrejas que ele tinha um relacionamento mais estreito, conhecendo bem seus problemas e tribulações. Mas, também podemos lembrar que essas sete cidades estavam colocadas ao longo da estrada principal dessa região: formavam assim como que um todo e eram também centros de divulgação para o mundo antigo. Talvez a explicação mais razoável esteja mesmo no número "sete". Esse era o número da perfeição, da totalidade. Escrevendo para *sete* igrejas, João estava escrevendo para todas as comunidades de todo o mundo cristão e de todos os tempos.

"Para você a graça e a paz": a graça e a paz são como que o resumo de todo o bem, de toda a felicidade, de toda a salvação. É o que João deseja para todas as comunidades. Ao mesmo tempo indica de onde podemos esperar graça e paz: *"aquele que é, que era e que vem", "os sete espíritos que estão diante de seu trono"* e *"Jesus Cristo, testemunha fiel..."*

No livro do Êxodo (3,14) lemos que Moisés perguntou o nome de Deus. Recebeu a resposta: "***Eu sou aquele que é!***" Também aqui, no Apocalipse, Deus é chamado de "*Aquele que é,* ***que era e que há de vir***". Com esse nome está indicado que Deus está infinitamente acima de nós, é o Senhor, é o eterno, é o que virá para realizar com força nossa salvação completa. Salvação que virá também dos *Sete espíritos*. Talvez aqui esperássemos que João dissesse *Espírito Santo*. Pois é isso mesmo que está dizendo; só que de outra maneira. Ainda há pouco vimos que o número sete indica a perfeição. Falar, pois, nos *sete espíritos* é o mesmo que dizer: Espírito Perfeito, Plenitude da Vida de Deus. A Salvação vem ainda do poder de Jesus Cristo. É assim que logo na introdução do Apocalipse é reafirmada a divindade de Jesus, colocando em pé de igualdade com o Pai e o Espírito. Em seu livro, João irá exatamente procurar mostrar o lugar ocupado por Cristo na história de nossa salvação. É por isso que logo a seguir dá a Cristo três títulos muito importantes: "*Testemunha Fiel*", "*Primogênito dos mortos*", "*Chefe dos reis da Terra*".

Jesus é a "*Testemunha Fiel*", é o que se apresenta como enviado pelo Pai, o que nos faz conhecer o Pai, o que se apresenta como garantia viva de tudo quanto ensina.

Jesus é o "*Primogênito dos mortos*", o primeiro que venceu a morte e conquistou para nós a possibilidade de uma vida nova, a possibilidade de vencermos a morte nós também. A morte do pecado e também a morte desta nossa vida atual. Pela ressurreição de Cristo temos a certeza de nossa própria ressurreição para a vida que jamais terminará.

Jesus é, finalmente, chamado de "*Chefe dos reis da terra*": isso porque é Deus, é o Messias, e o Rei que nos foi prometido como salvador, aquele que acabará conquistando para nós a vitória final e completa. O Cristo é o Senhor: tudo está em suas mãos.

A dedicatória do livro termina com palavras de louvor a Cristo que nos dá quase a impressão de estarmos diante de estrofes de um hino usado, quem sabe, nas reuniões de culto das antigas comunidades:

> *"A ele que nos ama e nos lavou de nossos pecados com seu sangue, a ele que nos fez reis e sacerdotes para seu Deus e Pai, a ele glória e poder pelos séculos dos séculos. Amém.*
> *Ei-lo que vem sobre as nuvens! Todos os olhos hão de vê-lo, até mes-*

> *mo os que o transpassaram; hão de se lamentar por sua causa todas as gerações da terra. Sim! Amém!"* (1,5b-7)

É o anúncio jubiloso do que Cristo fez por nós, do que faz, e do que ainda fará. Hino de louvor, gratidão, confiança, esperança. O Cristo merece tudo porque nos salvou. Por sua morte livrou-nos do pecado em que morríamos. Nosso presente está em suas mãos, somos o povo de Deus, filhos de seu amor, guiados por sua força. Deu-nos vida nova: podemos agora, por toda a nossa vida, prestar a seu Deus e Pai o louvor que lhe é devido. Somos sacerdotes: podemos aproximar-nos de Deus, já não somos estranhos, somos de casa. No meio das tribulações presentes, podemos erguer confiantes nossos olhos: o Cristo vai manifestar-se gloriosamente como Salvador e Vencedor. Virá das nuvens, do poder de Deus. Não importam os séculos que se devam esperar. A vinda do Cristo é sempre próxima porque é uma vinda certa, inevitável. Virá com todas as demonstrações do poder de Deus.

Usando um modo de falar muito comum no AT, João anuncia a manifestação do Cristo cercado de nuvens, imagem de sua majestade divina. Todos, bons e maus, hão de ver sua glória. Para uns será o momento da vitória e da alegria. Será, porém, momento de pavor e de lamentações para os que "o transpassaram", isto é: para todos os que se recusaram a aceitá-lo como Messias. Termina esse hino de esperança com duas curtas palavras que trazem em si toda a força da fé e do amor dos que aceitam os planos de Deus, mesmo quando parecem contradizer todas as nossas expectativas: *"Sim! Amém!"* Ele virá, e nós o esperaremos!

A assinatura de Deus

Os profetas do Antigo Testamento, ao terminar seus anúncios de salvação ou de castigo, apelavam sempre para a confirmação de Deus que garantia com sua autoridade a mensagem. O mesmo faz João ao terminar sua primeira apresentação esquemática da mensagem:

> *"Eu sou o Alfa e o Ômega, diz o Senhor Deus, o que é, que era e que há de vir. O Todo-poderoso".* (1,8)

Alfa e Ômega são a primeira e a última letra do alfabeto grego. Apresentando-se como Alfa e Ômega, apresenta-se Deus como o princípio e o fim de tudo: ele é a totalidade, o absoluto. Ele sempre foi Deus e sempre será Deus: ele não passa como nós, ele não é limitado, ele merece nossa confiança, tudo está em suas mãos. Ele é o todo-poderoso.

A palavra usada por João para dizer *"todo-poderoso"* é muito forte e majestosa: *"Pantokrator"*: a força mais forte, a força que domina tudo, a força contra a qual nenhum outro poder se pode opor. É nesse Deus e Pai que João nos convida a depositar nossa confiança absoluta e completa. Dele será a vitória final.

A sagração do Mensageiro

João apresenta-se, pois, como profeta. A palavra profeta vem do grego e significa: aquele que fala em nome de outro, o porta-voz, o enviado. Se o profeta anuncia o futuro, isto não é o mais importante em sua missão. Na Bíblia, profeta é o que fala em nome de Deus, enviado por Deus.

A partir do versículo nono, João apresenta mais longamente suas credenciais, mostrando por quem foi enviado. A forma escolhida será a narração de uma visão impressionante. Antes de examinar o texto, vamos ler uma passagem do AT, na qual Isaías conta como recebeu sua missão de profeta (Is 6,1ss.):

> *"No ano em que morreu o rei Ozias, eu vi o Senhor sentado em elevado trono. As franjas de seu manto enchiam o templo. Serafins estavam, de pé, a seu redor, cada um com seis asas. Com duas asas cobriam o rosto, com duas cobriam os pés e com duas voavam. Suas vozes se alternavam, e diziam: Santo, Santo, Santo é o Senhor...*
> *Ao som desse brado, estremeceram as portas e seus batentes, e o templo encheu-se de fumaça. E eu exclamei: 'Ai de mim, estou perdido. Sou um homem de lábios impuros e habito no meio de um povo também de lábios impuros, e eu vi com meus olhos o Rei, o Senhor dos exércitos!'*
> *Então, voou até mim um dos serafins, trazendo nas mãos uma brasa ardente, que tirara do altar com uma tenaz. Com a brasa tocou-me a boca... E ouvi a voz do Senhor que dizia: 'Quem poderei enviar? Quem irá em nosso nome?'*
> *Então, eu disse: 'Eis-me aqui, enviai-me'. Ele respondeu: 'Vai, pois, e dize a este povo...'"* (Is 6,1ss)

Para podermos fazer a comparação, vamos notar logo alguns pormenores: Deus sentado em um trono... um majestoso manto real... nuvens de fumaça que enchem o templo... seres misteriosos de seis asas... alguém que é enviado para falar em nome de Deus.

Vamos agora ler a visão de João no Apocalipse:

> *"Eu, João, que sou irmão e companheiro de vocês no sofrimento, no reinado e na perseverança por Jesus, estava na ilha de Patmos, por causa da palavra de Deus e do testemunho de Jesus. No dia do Senhor, fui arrebatado em espírito e ouvi por detrás de mim uma voz forte, como de trombeta, que dizia: 'Escreve num livro o que estás vendo e envia-o para as sete igrejas de Éfeso, Esmirna, Pérgamo, Tiatira, Sardes, Filadélfia e Laodiceia'.*
> *Virei-me para ver a voz que me falava e ao virar-me, vi sete candelabros de ouro. No meio dos candelabros estava alguém semelhante a um filho de homem, vestido com uma túnica que lhe chegava aos pés, e tendo à altura do peito um cinturão de ouro. Tinha a cabeça e os cabelos brancos como lã branca, como a neve. Seus olhos eram como uma chama de fogo. Seus pés pareciam de bronze incandescente na fornalha. Sua voz era como o ruído de muitas águas. Segurava, na mão direita, sete estrelas. De sua boca saía uma aguda espada de dois gumes. Seu rosto era como o sol, quando brilha com toda a sua força.*
> *Ao vê-lo, caí como morto a seus pés. Ele, porém, colocou sobre mim sua mão direita, dizendo: 'Não tenhas medo. Eu sou o Primeiro e o Último, o Que Vive. Estive morto, mas estou vivo pelos séculos dos séculos, e tenho as chaves da Morte e do Hades.*
> *Escreve, pois, as coisas que viste: as coisas presentes e as que hão de acontecer depois.*
> *Quanto ao mistério das sete estrelas que vês em minha mão direita, e dos sete candelabros de ouro: as sete estrelas são os anjos das sete igrejas, e os sete candelabros são as sete igrejas'".* (1,9-20)

Tendo a visão geral da passagem, vamos analisá-la um pouco.

"Eu, João, que sou irmão e companheiro de vocês..." Apresenta-se João como um entre os irmãos, sem maiores privilégios, mas também com os mesmos direitos, porque igualmente participante nos bens de Deus (*reinado*), nas perseguições e na perseverança: ou, melhor, na paciência, na firmeza em suportar tudo para não se afastar do Cristo.

Justamente por isso é que João foi mandado para a ilha de Patmos.

Era uma pequena ilha de uns 12 km de comprimento por uns 5

de largura. Está a uns 50 km de Éfeso. Segundo uma tradição, que identifica nosso autor com o apóstolo João, ele teria sido levado para lá condenado a trabalhos forçados nas minas.

Apresenta-se, pois, João como alguém qualificado para falar da esperança que deve animar os cristãos. Afinal, ele também estava colocado em grandes tribulações. Quase poderia dizer que estava sofrendo mais que os outros, que, tudo por tudo, podiam continuar vivendo entre irmãos.

"No dia do Senhor..." João tem sua primeira visão em um domingo, dia em que possivelmente sobrava algum tempo para a oração e a contemplação. Talvez seja bom repetir aqui ainda uma vez: não é possível dizer com certeza se João teve realmente uma visão, ou se apenas está usando um modo de falar já usado pelos profetas do AT e por outros autores de apocalipses.

"Fui arrebatado em espírito..." Foi tomado pelo poder de Deus, lançado para além do conhecimento normal. Começa a participar do conhecimento do próprio Deus.

Ouve uma voz. Para descrevê-la, diz que era como o som de uma trombeta. Isso porque era uma voz poderosa, retumbante. Mas, ao mesmo tempo, era uma voz que enchia de esperança, porque soava como anúncio da libertação que afinal chegaria. É bom lembrar que a trombeta era o instrumento usado pelos que anunciavam ao povo os decretos do rei.

A voz dá uma ordem: João deve escrever tudo quanto vai ver. Deverá mandar o livro para as sete igrejas. Não escreve por iniciativa própria, não fala por autoridade própria. Escreve porque é "enviado".

"Virei-me para ver..." Está colocado diante de uma luz resplandecente. Antes de tudo vê apenas a luz dos sete luzeiros de ouro. Depois, como se aos poucos seus olhos fossem acostumando-se à luz, vê alguém. Um ser parecido com *"um filho de homem"*. Essa expressão poderia ser trazida por *"um homem"*. Se, porém, levarmos em conta o profeta Daniel (7,13) e também o que encontramos nos Evangelhos, João, logo de início, está indicando alguma coisa mais: somos levados a pensar no Messias, no Salvador que se apresenta como o Juiz e o Rei universal. E é exatamente isso que João nos quer fazer pensar. Começa a descrever a figura, e cada traço nos fará compreender que estamos diante do Cristo. O *"filho do homem"* está vestido com uma longa túnica que lhe chega aos pés: ele é o sacerdote, aquele que nos permite o contato com o Pai. Ele é o rei: traz um cinturão de ouro, símbolo do poder, da força e da riqueza. Não é um simples homem: é o Eterno. Por isso tem os cabelos brancos como a lã e como a neve. E não somente isso: a figura do *"filho do homem"* é a figura de força e juventude, mas traz na cabeça a brancura dos cabelos. O Cristo é a força eterna de Deus, que agiu desde sempre e age ainda agora.

O Cristo *"tinha os olhos brilhantes como chama de fogo"*. Estamos acostumados a ver nos olhos o reflexo da personalidade de alguém, o reflexo de seus sentimentos. Podemos compreender que João, para nos dar a entender que estamos diante do Juiz divino, cujo olhar penetra até os mais íntimos segredos, diz que seus olhos são brilhantes como de fogo.

João quer dar-nos uma impressão da força, da firmeza que irradia a figura de Cristo. Procura uma comparação e acaba dizendo que *"seus pés brilhavam como bronze polido, refinado na fornalha"*, que sua voz *"era como a voz de muitas águas"*. João estava acostumado a ouvir o estrondo do mar nas noites de tempestade. É com a voz poderosa das ondas que compara a voz que ouvia: a voz do poder, da majestade. A voz de Deus.

"Ele segurava na mão direita sete estrelas..." As sete estrelas, como podemos ler no v. 20, são os anjos das sete igrejas: simbolizam a própria Igreja sustentada por seu poder divino. Estão na mão do Cristo Juiz: sua palavra é morte ou vida, faz a separação. Por isso é que João diz que de sua boca sai uma espada. Espada de dois gumes, que corta de qualquer lado: ninguém escapa ao julgamento do Filho de Deus.

Finalmente, um último traço: *"Seu rosto brilha como o sol do meio-dia"*. Tamanha é sua majestade. Não se pode fixar o olhar no sol do meio-dia: ninguém pode suportar a vista do poder divino que se irradia da pessoa do salvador. Parece-nos, pois, muito natural o que João escreve logo a seguir: *"Quando eu o vi, caí como morto a seus pés..."* É a reação natural de quem quer que se coloque seriamente diante do Cristo do Senhor.

No Êxodo (3,6), lemos que Moisés cobriu os olhos para não ficar olhando para Deus que se lhe mostrava. Outras vezes ainda, vemos que os profetas e outros homens escolhidos, colocados diante de Deus, caem como mortos e se admiram que continuem vivos depois de terem visto a Deus. No mesmo livro do Êxodo (34,20), Deus assim diz a Moisés: *"Tu não podes ver a minha face e continuar vivo".* Ainda há pouco vimos aquela passagem do livro de Isaías (6,2): os serafins que estavam diante de Deus cobriam sua face com duas de suas seis asas. Tudo isso para nos fazer compreender a grandeza de Deus. Ele está tão acima de nós e até mesmo dos anjos, que ninguém o pode fitar.

Também diante do Cristo, João cai como morto. O Cristo é claramente, mais uma vez, apresentado como Deus: Senhor, revestido de glória e esplendor.

O Cristo, porém, não é apenas o Deus terrível. É também o Deus de bondade, o Salvador. Estende a mão direita para reanimar o pobre homem caído a seus pés. Ao mesmo tempo, pronuncia palavras de grande consolo para seus discípulos perseguidos. Não é apenas João que não deve ter medo: são todos os cristãos que devem expulsar para longe de si qualquer sentimento de medo e desesperança diante dos sofrimentos e das perseguições.

Não devem ter medo: puseram sua confiança no Cristo que não é qualquer um. É o *"Primeiro"* e o *"Último"*: ele é Deus, é Senhor, não passa como nós passamos, não pode ser vencido, é sua a vitória final. Ele é *"Aquele que vive"*, que não depende de ninguém e do qual todos dependem para a vida e para a morte.

Ele "esteve morto": não por necessidade, mas por amor, para participar de nossa morte e assim nos dar a vida. Para ele a morte, não foi a derrota, foi apenas uma *"passagem"*. Passou pela morte, mas não está morto: vive para sempre. Ele tem *"as chaves da Morte e do Hades"*, da morada dos mortos: ele tem o poder mesmo sobre a morte que para nós parece ser o poder mais terrível, do qual ninguém escapa. Dele vem para nós a vitória sobre a morte. Dele vem a vida que dura para sempre. Se os cristãos acreditam no Cristo, Senhor da Vida e da Morte, então eles não têm motivos para temer nada, nem mesmo a morte na mão dos perseguidores. Unidos a Cristo, eles também podem ter a certeza da vitória. Não podem pensar que estão abandonados e perdidos nesses tempos tão difíceis. Ele está sempre presente, sempre participando da vida de sua Igreja, está em cada uma de nossas pequenas comunidades cristãs, por mais insignificantes que possam parecer. Nossas comunidades estão sempre diante de seus olhos, estão sempre em sua mão poderosa. É o que lemos no v. 20: "*O sentido secreto das sete estrelas, que viste em minha mão direita, e dos sete candelabros de ouro, é este: as sete estrelas são os anjos das sete igrejas, e os sete candelabros são as sete igrejas*".

II

SETE CARTAS PARA SETE IGREJAS CANSADAS

Nos capítulos segundo e terceiro do livro do Apocalipse temos uma série de sete cartas. Formam um todo, mas ao mesmo tempo conservam suas características próprias. As semelhanças chamam logo nossa atenção, pois seguem todas o mesmo esquema geral:

1) O Cristo apresenta-se com traços tomados da visão introdutória (1,9-20);

2) A comunidade é louvada pelo que faz de bem;

3) A comunidade é repreendida pelo mal que nela existe;

4) O Cristo promete a recompensa para quem continuar firme até o fim.

As particularidades devem-se à situação própria de cada uma.

Éfeso: a ortodoxia sem muito amor

Nessa cidade havia uma das comunidades cristãs mais importantes do primeiro século. Ali esteve Paulo durante dois anos e três meses, de 53 a 57 d.C. Era uma das cidades importantes da Ásia Menor, entroncamento de muitas estradas e porto de grande movimentação. Era como que uma encruzilhada do mundo. Cidade rica, com muitos templos, um grande estádio para 50 mil pessoas.

Mas, vamos ler a carta:

> *"Ao anjo da igreja que está em Éfeso, escreve: Isto diz aquele que segura as sete estrelas em sua mão direita, aquele que anda no meio dos sete candelabros de ouro: conheço tuas obras, teu trabalho e*

> *tua perseverança. Sei que não podes suportar os maus. Puseste à prova os que se apresentam como apóstolos sem o ser, e os achaste mentirosos. Tens perseverança e trabalhaste pelo meu nome, e não desanimaste".* (2,1-3)

É fácil perceber os motivos pelos quais a comunidade de Éfeso é elogiada: sua fidelidade à doutrina e sua paciência nas dificuldades.

No capítulo 20 dos atos dos Apóstolos, podemos ler as palavras de despedida de Paulo aos enviados da comunidade de Éfeso: deixa bem claro que depois de sua partida iriam aparecer falsos profetas e mestres, ou vindos de fora ou surgidos em meio da própria comunidade.

Éfeso era uma encruzilhada do mundo antigo, para onde confluíam todas as correntes de pensamento, todas as últimas novidades religiosas. Natural que ali também fossem numerosos os que mais ou menos deturpavam o Evangelho. Na comunidade, porém, alertada por seus chefes e iluminada pelo Espírito Santo, soube distinguir o erro que se apresentava sob a capa da verdade. Soube perceber a mentira.

Praticamente, a mesma é a nossa situação atual. Os meios de comunicação cada vez mais anulam as distâncias. Mais do que nunca as ideias se espalham, boas e más, erros e verdades. Recebemos uma carga imensa de informações. Mais do que nunca será importante que o cristão saiba distinguir o erro e a verdade. Não podemos aceitar tudo o que lemos ou ouvimos. Será preciso comparar tudo com a palavra de Cristo, com o que sempre foi vivido em nossa Igreja. Tudo que for contra o Evangelho deverá ser rejeitado. Palavras bonitas podem muitas vezes esconder apenas o veneno. Se prestarmos um pouco de atenção, iremos ver que os erros do passado continuam tranquilamente sob novos disfarces.

A comunidade de Éfeso é também elogiada pela coragem firme com que soube enfrentar as dificuldades. Quais dificuldades?

Podemos pensar no desânimo: esperavam para logo a vinda de Cristo com a vitória final. E, no entanto, o mal parecia vitorioso em toda a parte, e o Cristo não se mostrava.

A comunidade continuava sendo pequena, ali mesmo naquela cidade grande e rica.

E havia ainda as perseguições contra os que acreditavam em Cristo e procuravam viver de um modo novo, diferente da *"vida de todo o mundo"*.

Naquela cidade, onde havia um templo para adorar o imperador, era preciso coragem para afirmar, mesmo diante da morte, que só Deus pode ser adorado. Os cristãos eram gente marcada, olhada com desconfiança por muitos. Contra eles inventavam coisas horríveis. Diziam que eles se reuniam para sacrificar crianças e devorá-las. Diziam que eram inimigos do progresso e da segurança. Por outros, eram considerados como pobres iludidos. E isso talvez doesse mais do que tudo.

Na mensagem à igreja de Éfeso, logo depois dos elogios, encontramos também um grande *"Mas"*:

> *"Mas, tenho contra ti que deixaste esfriar teu primeiro amor. Lembra-te, pois, de que altura caíste. Arrepende-te e pratica as obras de antes. Caso contrário, virei a ti e removerei teu candelabro de seu lugar, se não te arrependeres".* (2,4-5)

Grandes foram os elogios, mas a repreensão é também muito pesada. De que valem toda a fidelidade e toda a firmeza, se já não existe o amor dos primeiros tempos?

O que estaria acontecendo em Éfeso, não o sabemos exatamente por que João não dá maiores explicações. Podemos apenas imaginar que a Igreja, levada pelo ambiente, tenha ficado um tanto presa às questões de doutrina, descuidando-se da vida fraterna. Quem sabe, deixou-se levar a uma situação de suspeita generalizada entre os irmãos; farejando erros e desvios doutrinários até nas palavras e atitudes mais inocentes. Ou, talvez nossos irmãos de Éfeso fossem duros demais com os que erravam, mais preocupados em castigar do que em reconduzir ao bom caminho! Ou, talvez a comunidade estivesse dividida por disputas internas de liderança e de partidos. O certo é que já não viviam o amor dos primeiros tempos, para com Deus e para com os irmãos. E por isso são fortemente convidados à conversão. Devem cair em si, perceber seu erro e mudar, voltando ao primeiro entusiasmo. Tudo isso é muito bom para nos lembrar que a Igreja deve continuamente viver em conversão. O Cristo está, sim, entre nós e com sua força mantém sua Igreja, mas nem sempre vivemos a perfeita fidelidade que ele exige de nós.

"Caso contrário, virei a ti e removerei teu candelabro de seu lugar": as igrejas são candelabros colocados bem alto para iluminar; colocados em um lugar de honra para que todos e os vejam; candelabros preciosos, exibidos por Cristo com certo orgulho. Pois bem. Se as igrejas não viverem intensamente o amor, serão candelabros fumegantes, perderam seu valor. Já não há porque continuarem ocupando um lugar de honra. Serão postos de lado, substituídos. Cada igreja, cada comunidade está continuamente sob o julgamento de Cristo. A qualquer momento ele poderá *"vir"*, através de tantos acontecimentos que manifestam seu julgamento e concretizam o castigo. Seria arriscado. Mas, talvez pudéssemos olhar para a história e ver quantas igrejas foram postas de lado como candelabros apagados.

Como que para diminuir um pouco a dureza da repreensão, o Cristo manda escrever aos irmãos de Éfeso:

> *"Mas sei que odeias as obras dos seguidores de Nicolau, como eu também as odeio".* (2,6)

Quem são esses seguidores de Nicolau e o que faziam? Não podemos ter uma resposta totalmente garantida. A História não nos dá informações suficientes sobre eles e suas doutrinas. Podemos saber apenas que eram pessoas que andavam ensinando um modo de vida contrário aos ensinamentos de Cristo. Vamos notar que o texto grego usa uma palavra que quase nos espanta: *"odiar"*. Vamos lembrar que o *"ódio"* é contra o procedimento, contra as obras, não contra a pessoa dos seguidores de Nicolau.

> *"Quem tem ouvidos, ouça o que o Espírito diz às igrejas."* (2,7a)

A mensagem enviada não é humana: vem do próprio Deus, que julga para salvar ou para condenar. Para a salvação, exige-se que a mensagem seja recebida de ouvidos abertos, ou melhor: de coração aberto.

Logo a seguir temos o último ponto, que vai reaparecendo em todas as cartas: a promessa de recompensa para os que continuarem firmes até o fim:

> *"Ao que vencer darei a comer o fruto da árvore da vida, que está no paraíso de Deus".* (2,7b)

Em muitos livros antigos e na própria Bíblia (Gn 2,9), encontramos a imagem da *"árvore da vida"*: a árvore cujos frutos misteriosos dão a imortalidade para quem deles comer. Imortalidade, salvação que o homem jamais poderá alcançar por si mesmo, mas apenas como uma oferta gratuita de Deus. Justamente o que é oferecido como prêmio para os que não se deixaram vencer nem pelo medo nem pelo cansaço.

Esmirna: comunidade pobre e sofredora

"Ao anjo da igreja que está em Esmirna, escreve":

A cidade de Esmirna fica a uns 50 km ao norte de Éfeso. Está localizada em uma baía, o que a transforma em um dos melhores portos de mar do mundo antigo. Foi fundada uns 600 anos antes de Cristo. Uns 400 anos depois foi totalmente reconstruída segundo um plano urbanístico, o que fez dela uma das mais belas cidades da Ásia. Era chamada de *"Formosa"*, a *"Coroa"*, a *"Flor"*, o *"Enfeite"* da Ásia.

Estradas muito bem conservadas faziam a ligação com o interior. Com isso tudo Esmirna tornou-se uma cidade rica e progressista. Politicamente tinha uma vida tranquila, sob a autoridade de Roma, à qual mostrou sempre uma fidelidade absoluta. Chegou a erguer os templos ao imperador e ao senado romano.

Não sabemos quando começou a comunidade cristã de Esmirna. Provavelmente nasceu por influência de pessoas convertidas por São Paulo, que muitas vezes visitou a região.

Pois bem, para essa comunidade é que João escreve em nome do Senhor:

> *"Isto é o que diz o Primeiro e o Último, o que esteve morto e tornou à vida: 'Conheço tuas obras, tua tribulação e tua pobreza, apesar de seres rico, e também as difamações daqueles que se dizem judeus e não o são, antes são uma sinagoga de satanás. Não tenhas medo do que vai sofrer. Eis que o diabo vai lançar alguns de vós na prisão para vos tentar. Tereis aflições durante dez dias.*
> *Sê fiel até a morte e eu te darei a coroa da vida.*
> *Quem tem ouvidos ouça o que o Espírito diz às igrejas: o que vencer não será de modo algum prejudicado pela segunda morte'".* (2,8-11)

Desde logo podemos notar que nessa carta aos irmãos de Esmirna não encontramos nenhuma repreensão. Por quê?

Como vimos, a cidade era muito próspera, alegre e rica. As ruas muito bem traçadas, esplêndidos os templos e palácios, grande movimentação, comércio variado e ativo. Pois bem. Para descrever a comunidade cristã que ali vive, João tem duas palavras carregadas de contraste: sofrimento e pobreza. A comunidade é pobre e sofredora. Pelas informações que temos, os cristãos eram em sua maioria gente simples e pobre, sem importância, desprezada. Mesmo quando ricos e importantes aceitavam o Evangelho, bem depressa começavam a sofrer as consequências de sua decisão: a perda das posições, o confisco de bens, a discriminação, a desconfiança, o desprezo. Geralmente era isso o que acontecia. Exatamente por isso, naquela rica cidade era ainda mais notória a pobreza da comunidade cristã. Ali era mais difícil ser cristão, aceitando a pobreza e tudo o mais.

João refere-se a mais uma dificuldade particular: as calúnias levantadas por judeus que a todo o custo procuravam tornar ainda mais tensas as relações entre cristãos, povo e autoridades de Esmirna. Apresentavam-se como judeus, isto é, como o povo de Deus. Mas, de fato, são o povo, a sinagoga, a comunidade de satanás. Não são verdadeiros judeus.

Quais as calúnias levantadas? A partir de outras informações, podemos supor que os cristãos de Esmirna eram também acusados de imoralidade, falta de religião, rebeldia e conspiração contra o poder imperial de Roma, destruição dos laços familiares.

A comunidade é exortada a continuar firme. As perseguições ainda vão continuar. Mas não devem desanimar nem desesperar. A perseguição vai durar pouco. ***"Tereis aflição durante dez dias."*** Aqui temos mais um exemplo de como os números não devem ser tomados ao pé da letra. Dez dias indicam apenas a relativamente curta duração das perseguições. Dez dias; muito pouco em comparação com a recompensa prometida: ***"Sê fiel até a morte e eu te darei a coroa da vida"***. A recompensa para os atletas vencedores nas lutas e competições dos estádios era a coroa. Para os cristãos fiéis, é prometida a coroa da vida. Terão como recompensa a vida verdadeira, a vida que dura para sempre.

A recompensa por ***"dez dias de tribulações"*** é a vida eterna, ***"o que vencer não será de modo algum prejudicado pela segunda***

morte". Esta é a segunda vez que, na Escritura, aparece essa expressão ***"segunda morte"***. Mas o sentido é claro: quem for fiel não sofrerá os castigos eternos do pecado, que bem se podem comparar com a morte, a pior de todas, a morte definitiva.

Pérgamo: tentação do conformismo

O Apocalipse leva-nos agora para uma outra cidade, a uns 70 km ao norte de Esmirna: a cidade de Pérgamo. Estava fora das grandes vias do comércio, a uns 30 km do mar, mas nem por isso tinha menos importância no mundo antigo.

Durante muito tempo, mais de um século, foi capital de um reino conquistado pelos romanos no ano 133 a.C. Estava construída sobre uma colina que domina um vale. No alto, erguiam-se templos famosos. Era uma cidade culta, dotada de uma biblioteca com 200 mil volumes. Pelo menos são essas as informações dos antigos que chegaram até nós.

Com uma biblioteca assim, Pérgamo começou a fazer concorrência com a cidade de Alexandria, no Egito, também um grande centro de cultura. Diante da concorrência, o rei do Egito, Ptolomeu, proibiu a exportação de papiro para Pérgamo. Sem papiro, não poderiam ter mais livros. Para resolver o problema, os copistas de livros de Pérgamo inventaram uma nova espécie de "papel", preparado com peles de cabras e carneiros. A invenção recebeu o nome de "pergaminho", justamente porque fabricada em Pérgamo.

A cidade era também um centro administrativo para a província da Ásia, e por isso mesmo o centro do culto divino ao imperador. Esse culto era um meio tentado por Roma para manter a unidade em seu imenso império. A lei exigia que uma vez por ano o cidadão fosse ao templo dedicado ao imperador, se aproximasse do altar e lançasse sobre as brasas um punhado de incenso dizendo: *"César é o Senhor"*. Recebia depois um atestado do ato. O título *"Senhor"* (Kýrios), por toda a tradição do AT, era reservado para Deus. Sendo assim, os cristãos preferiam morrer a prestar semelhante culto a um homem. Com isso, passaram a ser considerados como subversivos e traidores pelas autoridades romanas.

Na cidade de Pérgamo havia um grande templo dedicado a Júpiter (Zeus), o pai dos deuses; nesse templo, um imenso altar de mármore branco. Talvez seja esse o motivo que levou João a dizer que em Pérgamo estava o "trono de satanás".

Não sabemos nem quando nem como começou a comunidade cristã nessa cidade à qual é dirigida a terceira carta do Apocalipse, que agora passamos a ler:

> *"Escreve ao anjo da igreja que está em Pérgamo: Isto é o que diz aquele que tem a espada afiada de dois gumes. Sei onde habitas: aí se acha o trono de Satanás. Tu, porém, te apegas firmemente ao meu nome e não renegaste a fé em mim, mesmo naqueles dias em que Antipas, minha fiel testemunha, foi morto entre vós, onde Satanás habita".* (2,12-13)

É fácil compreender que a comunidade devia ter uma grande firmeza para continuar fiel a Cristo, vivendo naquela cidade onde a religião pagã apresentava-se rodeada de tantas grandezas. Exteriormente, a religião cristã não podia mostrar muito: nem templos nem grandiosas cerimônias. Quantas vezes deviam os cristãos ouvir as zombarias dos pagãos que lhes perguntavam como podiam adorar um Deus que morreu crucificado. E, além do mais, era ainda preciso enfrentar as autoridades que exigiam o culto do imperador.

João faz referência a uma oportunidade na qual a fidelidade se tornou mais difícil: a perseguição em que morreu Antipas como testemunha (em grego: *"martyr"*) do Cristo. Não sabemos exatamente quem ele era. Segundo algumas tradições, teria sido o bispo de Pérgamo, queimado vivo dentro de um touro de bronze, no tempo do imperador Domiciano.

Também aqui, depois do elogio, uma advertência:

> *"Todavia, eu tenho contra ti algumas coisas. É que tens aí seguidores da doutrina de Balaão, que ensinou a Balac a armar ciladas diante dos filhos de Israel, para que comessem carne imolada aos ídolos e praticassem imundícies. Tens também seguidores da doutrina de Nicolau".* (2,14-15)

Balaão era um adivinho, chamado pelo rei Balac para amaldiçoar o povo de Israel (Nm 22-24). Obrigado por Deus, acabou abençoando. Mas, segundo uma tradição dos judeus, aconselhou também o rei a conseguir a destruição do povo por meio de idolatria e imoralidade. João diz que os seguidores de Nicolau, tolerados pela comunidade de Pérgamo, estão praticamente fazendo a mesma coisa.

Já vimos antes que não sabemos quase nada sobre esses tais nicolaítas. Podemos supor, pelas informações de João que eles tentavam levar a comunidade a certo compromisso com o paganismo. Andariam aconselhando os cristãos a participar, pelo menos exteriormente, do culto aos falsos deuses. Possivelmente, ensinavam também uma moral muito tolerante com os vícios praticados até mesmo nos templos pagãos.

Seja lá como for, a comunidade é censurada porque não está sendo bastante firme com esses irmãos transviados. Deve ser tolerante com o pecador, mas não pode ser tolerante a tal ponto que o pecado passe a ser considerado como coisa normal. Quando for o caso, deve afastar o pecador da comunhão (da participação na vida da comunidade), para que não acabe corrompendo os outros.

Isso vale também para nós, hoje em dia. Será que nossa comunidade não está sendo tolerante demais com certos costumes que nada têm de cristão? Será que nós mesmos, com nosso procedimento, não estamos servindo para corromper a comunidade?

João convida a comunidade de Pérgamo para que se converta:

> *"Arrepende-te, pois. Senão, virei brevemente a ti e combaterei contra eles com a espada da minha boca".* (2,16)

A ameaça é clara: se a comunidade não tomar providências, o Cristo virá com a força de sua justiça (a espada que sai de sua boca), contra a qual ninguém poderá resistir. O julgamento de Cristo pesa continuamente sobre a Igreja. Ele, afinal, não é nenhum ausente: está continuamente dirigindo, julgando, orientando a comunidade.

A carta termina com uma promessa:

> *"Quem tem ouvidos, ouça o que o Espírito diz às igrejas: Ao que vencer darei o maná escondido e lhe entregarei uma pedra branca. Nela estará gravado um nome novo, que ninguém conhece, a não ser quem a receber".* (2,17)

A recompensa prometida é apresentada por duas comparações: o maná e a pedra com o nome secreto.

No livro do Êxodo, capítulo 16, lemos que Deus alimentou seu povo com um alimento caído do céu, alimento que foi chamado *"maná"*. Pois bem. João diz que os vencedores, os que permanecerem firmes até o fim, serão alimentados com essa mesma comida, a comida da imortalidade, da felicidade perfeita, a realização de todas as promessas da salvação.

Os vencedores receberão também uma *"pedra branca, com um nome novo"*. Branco era a cor da pureza, do céu. A pedrinha branca é como que uma joia, sinal do direito de participar da recompensa. Conhecer o nome de alguém, poder tratar alguém pelo nome, era um sinal de união, de amizade, quase de direito sobre a pessoa. Quem permanecer fiel até o fim poderá conhecer o nome novo de Deus, isto é, poderá conhecer e participar de Deus de um modo que vai muito além de todas as possibilidades humanas. É um *"nome que ninguém conhece a não ser quem o recebeu"*: Isso indica a intimidade de Deus com cada um dos salvos. Como se cada um o conhecesse e dele fosse conhecido de um modo todo especial e exclusivo.

Os antigos procuravam conseguir amuletos, patuás milagrosos, que dessem sorte. Muitas vezes esses amuletos traziam escrito o nome de uma divindade. Quanto mais forte a divindade, tanto mais forte o amuleto. Possivelmente, querendo usar uma comparação para explicar a felicidade prometida, João a estivesse comparando com um desses amuletos. Estaria dizendo: Quem for fiel até o fim, receberá a garantia, o amuleto da felicidade verdadeira, porque receberá a *"posse"* de Deus. Talvez a comparação possa parecer estranha, mas o sentido seria claro.

Tiatira: um pouco tolerante demais

> *"Ao anjo da igreja que está em Tiatira escreve: Isto é o que diz o filho de Deus, que tem olhos como chamas de fogo e pés semelhantes ao metal em brasa: Conheço tuas obras, teu amor, tua fé, tua dedicação, tua perseverança e tuas últimas obras que são mais numerosas que as primeiras."* (2,18-19)

Não é a primeira vez que encontramos o nome dessa cidade na Escritura. No capítulo 16, versículo 14 dos atos dos Apóstolos, encontramos uma mulher chamada Lídia. Foi convertida por Paulo na cidade de Filipos. Era de Tiatira e era comerciante de tecidos. Ao que podemos saber, a tecelagem era uma das atividades mais importantes da cidade, bem como o tingimento de tecidos e os trabalhos com metais.

Mais uma vez temos de dizer: nada sabemos sobre as origens da comunidade cristã em Tiatira. Sabemos que era uma comunidade fervorosa que merecia elogios especiais. Não apenas permaneceu fiel pela fé e pelo amor. Não apenas tinha paciência e coragem para enfrentar as exigências da vida cristã. Era também comunidade em pleno crescimento e grande progresso. Em comparação com o fervor dos primeiros tempos, a comunidade estava ainda melhor.

Isso, porém, não quer dizer que também não enfrentasse dificuldades especiais, nascidas do próprio ambiente onde vivia. É preciso levar em conta essas dificuldades para compreendermos as restrições feitas pelo Senhor.

A cidade de Tiatira apresentava uma particularidade. Era o que se poderia chamar uma "cidade industrial" do mundo antigo. Isso levou ao aparecimento de associações de profissionais semelhantes a sindicatos ou corporações. Padeiros, ferreiros, curtidores, seleiros, alfaiates, tintureiros, cada profissão tinha sua associação. Promoviam reuniões deliberativas, mas também reuniões festivas com banquetes e outros folguedos. É fácil supor que também profissionais cristãos participassem desses "sindicatos", trazendo um problema para a comunidade. Podiam os cristãos participar dessas reuniões festivas onde o muito comer e beber quase sempre terminavam em orgias? Podiam participar das reuniões quando celebradas nos templos pagãos, acompanhadas sempre de sacrifícios oferecidos aos ídolos? Mas, por outro lado, se os cristãos não participassem das associações, ficariam praticamente impossibilitados de exercer sua profissão ou de tocar adiante os seus negócios. O que fazer?

Já encontramos antes os *"nicolaítas"*, que facilmente aceitavam compromissos com o ambiente, participavam tranquilamente dos sacrifícios aos falsos deuses e tinham uma moral muito tolerante. Pela carta de João, temos a impressão que esse grupo fosse orientado por uma dama da alta sociedade, que se apresentava como profetisa e tinha conseguido a adesão de muitos. João lhe dá o nome de *"Jesabel"*. Provavelmente, não era esse seu nome verdadeiro, mas foi escolhido para lembrar uma outra mulher, a esposa do rei Acab (2Rs 9). Essa Jesabel do AT levou o povo judeu para a infidelidade. O mesmo que está sendo feito pela falsa profetisa de Tiatira.

Podemos assim compreender melhor o que lemos a seguir:

> *"Mas, eu tenho contra ti que permites a Jesabel, mulher que se diz profetisa, ensinar e enganar os meus servidores, para que se entreguem à prostituição e comam carne imolada aos ídolos".* (2,20)

Essa tal *"Jesabel"* estaria levando os cristãos a aceitar as imoralidades dos pagãos. Essa é uma das possibilidades de traduzir o original. Mas é bom lembrar que, no AT, muitas vezes a palavra *"prostituição"* (fornicação, adultério) era usada para indicar a infidelidade para com Deus. Comer a carne que tinha sido oferecida aos ídolos, era a mesma coisa que participar do sacrifício; era entrar em *"comunhão"* com a falsa divindade. É claro que isso nunca poderia ser correto para um cristão.

A continuação do texto é fácil de entender:

> *"Eu lhe dei tempo para se arrepender, mas ela não quer arrepender-se de sua prostituição. Eis que a lançarei numa cama de dor, e os que com ela praticam adultérios ver-se-ão em grande aflição, se não se arrependerem de suas obras. Ferirei de morte os meus filhos, e todas as igrejas saberão que eu sou aquele que sonda os rins e os corações. Darei a cada um de vós segundo suas obras".* (2,21-23)

A expressão *"sondar os rins e os corações"* é tomada do AT e significa: conhecer os pensamentos, o íntimo de cada um. Os castigos são apresentados sob a imagem de doença grave e morte. Podemos também notar o paralelismo, certamente intencional, entre cama e adultério.

> *"A vós, porém, e aos outros de Tiatira, que não seguis essa doutrina e não conheceis – como dizem – as profundezas de satanás, não imporei outra carga. Simplesmente, guardai o que tendes, até o meu regresso."* (2,24-25)

"Profundezas de satanás" é o modo irônico escolhido por João para se referir às pretensas revelações de profundos segredos espalhados por *"Jesabel"* e seus seguidores.

> *"Ao que vencer e guardar até o fim as minhas obras, dar-lhe-ei poder sobre as nações. Ele as governará com vara de ferro e as quebrará como vaso de barro!"* (2,26-27)

Essa primeira promessa inclui a participação no poder de Cristo Messias. Poder não apenas para salvar, mas também para julgar os que não o aceitarem. É por isso que esse poder é comparado a uma vara, uma aguilhada de ferro. Diante dele os maus não podem resistir: aguentam menos que potes de barro.

Mas o Cristo tem ainda outra promessa:

> *"Foi assim que eu mesmo recebi o poder de meu Pai. Ao que vencer darei a estrela da manhã. Quem tiver ouvidos, ouça o que o Espírito diz às igrejas".* (2,28-29)

Como o Cristo recebeu o poder e a vida de seu Pai, assim também os receberá o vencedor.

Vamos notar, na passagem, mais um exemplo da linguagem poética e imaginosa do Apocalipse. Todos nós conhecemos a estrela ou o planeta brilhante que se mostra de madrugada no céu: é a mais brilhante de todas, é como que a promessa de um novo dia depois das trevas da noite. É por isso que no capítulo 22, versículo 16, encontramos esta outra frase nos lábios de Cristo: *"Eu sou a estrela brilhante da manhã"*. Podemos, pois, entender que o Cristo, prometendo dar ao vencedor a *"estrela da manhã"*, está afinal prometendo que ele mesmo será a recompensa para quem continuar fiel até o fim.

Sardes: comunidade moribunda

> *"Ao anjo da igreja que está em Sardes, escreve: Eis o que diz aquele que tem os sete espíritos de Deus e as sete estrelas: Conheço tuas obras. És considerado vivo, mas estás morto. Desperta e reanima o resto que está para morrer, pois não acho tuas obras perfeitas diante de meu Deus."* (3,1-2)

Na introdução, vimos que para entender a mensagem do Apocalipse é preciso levar em conta a situação da Igreja no final do século primeiro. Vimos que a mensagem leva em conta acontecimentos presentes e passados, usando uma linguagem especial, que se serve de certas particularidades para dar uma mensagem válida para todos os tempos.

Lendo agora essa carta para a igreja de Sardes, podemos supor que de fato a mensagem leva em conta a situação especial da comunidade, daí tirando uma lição válida ainda hoje para nós. Mas, também é possível supor que a carta não se refere a uma situação real da comunidade, e que João, levando em conta o passado daquela cidade, aproveita a oportunidade para uma mensagem de advertência. Pode ser também que as duas hipóteses sejam válidas. João levaria em conta a situação real da comunidade e ao mesmo tempo aproveitaria dados do que acontecera antigamente.

A cidade de Sardes era uma cidade antiga. Já existia uns 600 anos antes de Cristo. Era a capital de um reino rico e poderoso. Seus habitantes viviam tranquilos, achando que nunca os inimigos poderiam conquistá-la. Isso porque seu centro estava construído sobre um rochedo muito alto, com precipícios que pareciam tornar impossível a escalada. Por duas vezes a cidade foi cercada pelos inimigos. Confiados na altura do rochedo, seus defensores não levaram a sério a guarda dos muros. À noite, os inimigos encontraram um modo de subir pelos paredões de pedra e destruíram a cidade. Vamos levar isso em conta ao ler a carta de João. Perceberemos nela o sentido muito forte de suas palavras: *"estejam acordados, tratando de salvar o que ainda pode ser salvo"*.

Pouca coisa, ou quase nada, sabemos da comunidade cristã de Sardes. Pelas afirmações de João, podemos imaginar uma comunidade aparentemente tranquila e sem maiores problemas. Quase podemos afirmar que era uma comunidade contente consigo mesma, confiante nas aparências. Contente e confiada demais. Essa modorra é que o Cristo quer sacudir:

> *"Conheço tuas obras. És considerado vivo, mas estás morto. Desperta e reanima o resto que está para morrer, pois não acho tuas obras perfeitas diante de meu Deus".* (3,1-2)

Aí temos o julgamento de Cristo sobre as aparências da igreja de Sardes. Ele é o Juiz, é o Senhor da Igreja. Não julga pelas exterioridades. Como Deus, ele julga o íntimo dos corações. A vida da comunidade está em suas mãos poderosas. Saberá usar dos acontecimentos para governar seu rebanho. É justamente por isso que João inicia a carta lembrando a visão grandiosa do Cristo que lhe confiou a missão de falar: *"Aquele que tem os sete espíritos de Deus e as sete estrelas"*.

A igreja de Sardes não pode continuar contente, como se tudo fosse bem. Deve recordar o que aprendeu, deve passar por uma mudança:

> *"Lembra-te de como recebeste e ouviste a palavra. Apega-te a ela e arrepende-te".* (3,3a)

Se não se converter, se continuar tranquila e contente, terá a mesma sorte da cidade de Sardes que no passado foi conquistada enquanto dormia:

> *"Se não estiveres vigilante, virei a ti como um ladrão, e não saberás a que hora virei".* (3,3b)

João está repetindo a mesma comparação usada por Deus no Evangelho: *"Vigiai, pois não sabeis o dia em que vosso Senhor virá"* (Mt 24,42).

Acontece, porém, que nem todos dormiam. Muitos continuavam atentos e fiéis a suas obrigações de cristãos. O Cristo os reconhece e anuncia a recompensa que receberão:

> *"Todavia, tens em Sardes alguns que não contaminaram suas vestes. Andarão comigo, vestidos de branco, porque são dignos disso.*
> *O vencedor será assim revestido de vestes brancas; jamais riscarei seu nome do livro da vida e o reconhecerei diante de meu Pai e de seus anjos. Quem tiver ouvidos, ouça o que o Espírito diz às igrejas".*
> (3,4-6)

É fácil compreender a comparação usada: roupas limpas, veste branca. Há muitos em Sardes que souberam guardar a pureza da fé e por isso merecem receber a veste branca, símbolo da vida e da vitória. O Cristo, na visão de João, também estava vestido de branco, porque é o rei vencedor. Também é fácil entender o que significa: *"Seus nomes não serão riscados do livro da vida"*. Isso quer dizer que estarão sempre entre os vivos, os que receberam a vida verdadeira para sempre. Mantendo sua fé em Cristo, merecem que também o Cristo cumpra o prometido e mantenha sua fidelidade sem jamais os abandonar. Para sempre serão reconhecidos pelo Cristo como discípulos seus.

Filadélfia: pequena mas fiel

A sexta carta é dirigida à igreja de Filadélfia. Além dos ensinamentos que nos dá, essa carta é importante como exemplo que nos ajuda a compreender o estilo do Apocalipse. Aqui podemos perceber claramente como muitas passagens que nos parecem profecias misteriosas, explicam-se facilmente como alusões a fatos do momento ou do passado. Os dados concretos da situação guiam, de certo modo, o pensamento e a linguagem do escritor. Vamos ver esses dados e depois veremos como são aproveitados por João ao apresentar sua mensagem.

Filadélfia foi fundada pelo rei Atalo II, de Pérgamo, que governou de 159 a 138 a.C. Porque esse rei tinha uma grande amizade por seu irmão, recebeu o apelido de *"Filadelfos"*: o que ama seu irmão. É por isso que a cidade por ele construída foi chamada de *"Filadélfia"*, nome que significa: *"amor fraterno"*. Esse foi seu primeiro nome.

A cidade estava situada em uma região sempre ameaçada por terremotos. Houve um muito forte no ano 17 a.C., que a destruiu completamente. O imperador Tibério financiou a reconstrução, e a cidade mostrou sua gratidão adotando um nome novo: *"Neocesarea"*, a nova cidade de César.

Anos mais tarde, o poder no império romano passou para a família dos Flávios. E novamente a cidade mudou de nome: passou a se chamar *"Flávia"*. Depois que esses imperadores também foram esquecidos, a cidade voltou a ter o antigo nome de Filadélfia. Vamos guardar essas mudanças de nome.

Não foi por acaso que Atalo II tinha fundado a cidade. Ele queria um ponto avançado de apoio que permitisse espalhar a civilização grega no interior da Ásia Menor. Filadélfia devia ser uma *"porta aberta"* para a entrada nesse mundo bárbaro.

Quando o Apocalipse foi escrito, a cidade vivia ainda sob a ameaça de terremotos; não era assim tão raro que seus habitantes tivessem de fugir para fora das casas que ameaçavam cair.

A comunidade cristã, que ali vivia, certamente era resultado das pregações de Paulo em Éfeso e em outras cidades vizinhas. Parece que ao lado da comunidade cristã havia em Filadélfia uma considerável comunidade de judeus.

Lendo agora a carta de João, notaremos como todas essas circunstâncias são aproveitadas como pano de fundo para a mensagem.

> *"Ao anjo da igreja que está em Filadélfia, escreve: Eis o que diz o santo e o verdadeiro, aquele que tem a chave de Davi: se ele abre, ninguém fecha; se ele fecha, ninguém abre."* (3,7)

O Cristo aqui recebe três títulos: Santo, Verdadeiro, *"O que tem a chave de Davi"*. Vamos ver o significado desses títulos.

Muitas vezes no AT, Deus é chamado *"O Santo"*. Isso queria dizer que Deus é completamente diferente de nós, está infinitamente acima; nele não existe nenhuma de nossas misérias e limitações. Deus é *"Santo"* é o mesmo que: Deus é *"Deus"*. Se o Cristo é chamado de *"Santo"*, é porque ele é Deus. É *"Santo"* como Javé, o Senhor.

Jesus é chamado de *"Verdadeiro"*, veraz ou fiel, com o mesmo título dado a Javé no AT; assim chamado porque nunca falta com a salvação prometida; porque não muda como os homens em quem não se pode confiar.

O Cristo é *"Aquele que tem a chave de Davi"*. Para entendermos esse título, será bom ler antes uma passagem do profeta Isaías (22,22). Fazendo uma promessa a um homem chamado Eliacim, o profeta diz em nome de Deus: *"Eu colocarei sobre seu ombro a chave da casa de Davi: o que ele abrir, ninguém fechará; o que ele fechar ninguém abrirá"*. Lendo essa passagem podemos compreender que Eliacim vai receber um poder total, uma autoridade completa no palácio do rei. Em nome do rei, ele poderá mandar e desmandar; resolver tudo como se fosse o próprio rei. Dizendo que Jesus *"tem a chave de Davi"*, João está afirmando que ele tem em suas mãos todo o poder de Deus. É o mesmo, aliás, que João colocou no capítulo 1, versículo 18, fazendo Jesus dizer: *"Eu tenho as chaves da morte e do Hades"*. O poder de Cristo é total: ninguém lhe pode resistir. Tudo está em suas mãos. Nem todo o poder do mal pode impedir que ele realize a salvação prometida. Os cristãos de Filadélfia podem confiar. Apesar de todas as aparências contrárias, a vitória final será do Senhor Jesus. Isso já nos torna bastante clara a frase seguinte:

> *"Conheço tuas obras e coloquei diante de ti uma porta aberta que ninguém pode fechar; porque, tendo pouca força, guardaste minha palavra e não negaste meu nome"*. (3,8)

Como vimos, Filadélfia era uma *"porta aberta"* para a penetração da cultura grega no interior da Ásia. Pois bem, a comunidade cristã de Filadélfia será também *"porta aberta"* para que a salvação chegue aos que ainda não conhecem o Cristo. Será *"porta aberta"* porque é uma comunidade que *"guarda a palavra do Cristo"*, mantém sua fidelidade ao compromisso assumido para com ele. Será *"porta aberta"*, porque, apesar de sua fraqueza, pode contar com a presença do poder de Jesus. Se ele quer que a comunidade seja salvação para os de fora, então ninguém o poderá impedir: *"Se ele abre, ninguém poderá fechar; se ele fecha, ninguém poderá abrir"*, nem os maus judeus, nem os pagãos, nem as calamidades, desastres e sofrimentos que possam vir. De modo especial o poder de Cristo vai fazer que muitos judeus se convertam e se unam à comunidade:

> *"Eis, que te entregarei adeptos da sinagoga de Satanás, – desses que se dizem judeus, mas mentem –; vou fazê-los prostrar-se diante de teus pés, e reconhecer que eu te amei!"* (3,9)

No AT os judeus eram chamados de *"povo de Deus"*, *"Sinagoga, assembleia, comunidade"* de Deus. Depois que veio Jesus, o povo de Deus é formado por todos – judeus e pagãos – que acreditaram nele. Os judeus que não o aceitaram, mas continuaram agarrados ao passado, já não são verdadeiramente *"sinagoga de Deus"*. Porque estão mentindo, por isso merecem antes serem chamados de *"Sinagoga de Satanás"*.

Pois bem. O Cristo promete que muitos judeus de Filadélfia vão converter-se, vão entrar para a comunidade cristã. Vão reconhecer que *"essa é a comunidade amada por Deus"*. O AT sempre dizia que Deus amava seu povo. Se agora os judeus de Filadélfia reconhecerem que *"Deus ama"* a comunidade cristã, estarão reconhecendo que essa comunidade é o novo povo escolhido por Deus.

Sempre foi e sempre será difícil para nós compreender como as calamidades, os desastres se encaixam nos planos de Deus. Por que as secas, os terremotos, as inundações, as pestes? Como podem acontecer essas coisas, se de fato, Deus nos ama? São castigos? Mas, então por que sofrem também os inocentes? Como já vimos, os habitantes de Filadélfia sabiam por experiência própria o que significava o sobressalto diante dos terremotos que podiam vir a qualquer momento. Os cristãos, por sua vez, viviam sempre à espera de perseguições, prisão e morte. Para essa situação é que a carta à igreja de Filadélfia trazia uma resposta e um ensinamento:

> *"Porque guardaste a minha palavra com paciência, também eu te guardarei da hora da provação, que está para vir sobre o mundo inteiro, para experimentar os habitantes da terra".* (3,10)

Os sofrimentos, as calamidades encaixam-se no plano de Deus. Servem para nosso bem, para nossa educação, dando-nos oportunidade para fazermos nossa escolha. Vendo que não temos poder suficiente para resolver tudo, podemos pôr nossa confiança em Deus, ou podemos também desesperar. Vendo como os bens materiais não merecem nossa confiança, somos convidados a colocar nossa confiança naquele que jamais falha. Podemos aprender que as provações não duram para sempre. Temos a esperança de uma salvação final, quando já não haverá nem sofrimentos nem lágrimas. Podemos aprender a *"palavra da perseverança"*, ou da paciência, que nos foi ensinada por Jesus. Perseverança ou paciência é a coragem de suportar tudo com a serenidade que vem da fé. Paciência possível na medida em que realmente confiamos em Deus, nele pomos nossa certeza que nada pode destruir. Foi isso que Jesus nos ensinou com sua palavra e com seu exemplo.

Os irmãos de Filadélfia, diz João, souberam guardar a *"palavra com paciência"* ensinada por Jesus. Por isso dele recebem uma promessa que deve aumentar sua coragem: *"Eu te guardarei da hora da provação que está para vir sobre o mundo inteiro, para experimentar os habitantes da terra".*

Na segunda parte do Apocalipse, João vai falar muito das provações que estão por vir. Não será preciso entender que esteja anunciando acontecimentos determinados e específicos. Está falando de uma situação que sempre existiu e sempre existirá até a vinda final de Cristo: sempre a Igreja estará colocada nessa *"hora de provação"*. É fundamental que nós, a Igreja, tenhamos sempre a presença do Cristo entre nós. Ele é nossa esperança, nossa garantia, nossa certeza. Isso é o importante para nós, como o era para a pequena comunidade cristã de Filadélfia.

João apresenta-nos essa presença do Cristo como uma coisa certa, sempre presente e que sempre precisamos esperar. Ele está sempre conosco, sempre está manifestando-se nos acontecimentos, mesmo nos mais terríveis. É por isso que João continua escrevendo:

"Eu venho logo. Conserva o que tens, para que ninguém tome tua coroa". (3,11)

O Cristo vem logo. Não podemos desesperar; não há motivo para perder a coragem. O Cristo vem logo. Cada momento é para nós o momento final, o momento decisivo. O Cristo vem logo. Continuamente vem para nos julgar. Temos de viver atentos e vigilantes para não perdermos a coroa da recompensa que nos oferece. Para quem viver assim, é anunciada a vitória e a recompensa:

"O vencedor, eu o farei uma coluna no templo de meu Deus, de onde jamais sairá..." (3,12a)

A coluna é uma imagem da firmeza, da estabilidade. A coluna dá firmeza à casa, ao templo. Quem ficar firme no meio das tribulações, será uma coluna no templo de Deus. Estará sempre firme na felicidade, na alegria, na paz. Nunca mais precisará fugir, diante das calamidades, como os habitantes da Filadélfia tantas vezes fugiram ameaçados pelos terremotos.

No templo de Jerusalém, havia duas colunas ricamente esculpidas. Nelas estava escrito o nome de Deus: *"Firmeza"* e *"Força"*. Pois bem. Os cristãos que vencerem as tribulações, e se tornarem assim colunas no templo de Deus, eles também receberão, como que gravados em sua fronte, três *"nomes"*:

"Escreverei sobre ele o nome de meu Deus, e o nome da cidade do meu Deus, da nova Jerusalém (aquela que desce dos céus, vinda de meu Deus), e também o meu nome novo". (3,12b)

Como vimos a cidade de Filadélfia tinha recebido vários nomes. A comunidade cristã, se for fiel até o fim, receberá também um nome *"novo"*: Comunidade, Igreja de Deus, Igreja do céu, Igreja do Cristo. Já desde agora a comunidade fiel merecerá, com toda verdade, o nome da cidade: Filadélfia, cidade do amor fraterno. Já, desde agora, poderá ser uma amostra da comunidade da perfeita união no céu.

Mais uma vez João faz questão de lembrar: está falando em nome de Deus:

"Quem tiver ouvidos, ouça o que o Espírito diz às igrejas!". (3,13)

Laodiceia: tranquila e morna

A sétima e última carta do Apocalipse é dirigida à comunidade cristã de Laodiceia. Para transmitir sua mensagem, mais uma vez, João leva em conta certas características da cidade e dá conselhos para situações concretas enfrentadas pela comunidade. As características da cidade vão oferecer as comparações a serem usadas; as necessidades da comunidade determinarão o conteúdo das imagens.

Laodiceia foi fundada uns 250 anos antes de Cristo. Estava muito bem situada, no interior, a uns 130 km de Éfeso. Era uma encruzilhada importante nas estradas comerciais do tempo. Sua indústria principal era a tecelagem de uma lã muito apreciada, de um preto arroxeado, macia e brilhante. Era um centro de modas e confecções, célebre por suas túnicas de luxo. Comércio e indústria fizeram de Laodiceia um centro financeiro, com muitos bancos sólidos e respeitados. Era uma cidade rica. Rica e orgulhosa.

No ano 61 d.C., foi quase destruída por um terremoto. Mesmo assim não quis aceitar o auxílio oferecido pelo imperador romano. Fez questão de se reconstruir com seus próprios recursos.

Outro motivo de orgulho para Laodiceia era sua escola de medicina, especializada no tratamento de doenças dos olhos. Ali era produzido um colírio mundialmente famoso. E, como se não bastasse, logo perto da cidade, do outro lado do rio, havia fontes de água mineral também muito afamadas.

Era nesse ambiente que vivia a comunidade cristã que, justamente por isso, corria o risco de se deixar influenciar pela riqueza, pela confiança demasiada em si mesma, pela acomodação. Será bom lembrar mais uma vez que o Apocalipse, justamente porque leva em conta as situações concretas de cada comunidade, tem uma mensagem importante e válida também para nós hoje em dia. Afinal, nós continuamos a viver nossa vida cristã em situações concretas mais ou menos semelhantes. Vamos, porém, ao texto.

Mais uma vez encontramos a apresentação de quem fala à Igreja:

> *"Ao anjo da igreja que está em Laodiceia, escreve: Eis o que diz o Amém, a testemunha fiel e verdadeira, o princípio da criação de Deus".* (3,14)

Apresenta-se o Cristo como o *"Amém"*. Em hebraico, a palavra *"amém"* significava: *"é certo, é verdade, é firme"*. Quando o povo respondia *"amém"*, depois de ouvir as palavras de Deus, estava assumindo um compromisso, estava fazendo um ato de fé e de confiança. Apresentando-se como o *"Amém"*, o Cristo está apresentando-se como o próprio Deus, que é a base de toda a verdade, de toda a firmeza. Está apresentando-se também como aquele que é totalmente fiel à Palavra de Deus, aquele que obedece perfeitamente. Está, finalmente, apresentando-se como a realização verdadeira de todas as promessas de Deus. É por isso que se chama também de *"Testemunha fiel e verdadeira"*. Tem assim direito de exigir que a comunidade de Laodiceia seja também fiel à mensagem recebida, fiel ao compromisso assumido pelo batismo.

Apresenta-se o Cristo como o *"Princípio da criação de Deus"*. No começo do Evangelho de João, encontramos uma afirmação semelhante: *"Por ele tudo foi feito e sem ele nada se fez de tudo o que foi criado"* (Jo 1,3). O Cristo, Filho de Deus, é também o criador de todas as coisas. Por causa dele é que tudo foi feito. Mas, principalmente, o Cristo é o começo da nova criação, é o princípio, a causa da Igreja, dessa comunidade em que encontramos a salvação. É a origem deste mundo novo em que temos a vida para sempre.

É esse Cristo, garantia e firmeza de nossa salvação, que vai agora pronunciar um julgamento sobre a comunidade em Laodiceia, que já tinha perdido o primeiro entusiasmo; que estava acomodada e contente consigo mesma. Ele diz assim:

> *"Conheço tuas obras: tu não és nem frio nem quente. Oxalá fosses frio ou quente! Mas como és morno e não és nem frio nem quente, estou para vomitar-te da minha boca!"* (3,15-16)

É fácil perceber a acusação feita à comunidade: vocês estão parados, vocês são uma comunidade do *"mais ou menos"*, sem decisão, sem entusiasmo, sem coragem, sem iniciativa, sal que não salga, luz que não alumia.

Das fontes minerais de Laodiceia brotava uma água quente que se podia beber. Mas só enquanto estava quente. Mais abaixo, depois de ter rolado entre as pedras, a água já estava morna e provocava ânsias. João aproveita o fato para uma comparação. A comunidade deve ser como a água. Quente, pode servir como remédio, é boa para se beber. Fria, a água mata a sede. Quente ou fria, a água é boa. Morna, não presta. A comunidade deve voltar ao primeiro entusiasmo. Deve ser água quente para remédio, deve ser água fria para matar a sede. O que não pode é continuar como está. Assim não serve para nada. Provoca enjoo; não deixa que os homens acreditem no Cristo; não é a verdade que salva; é apenas uma piada de mau gosto.

Logo a seguir, João mostra como de fato a comunidade era morna. Mostra e dá os motivos. Vendo esse julgamento sobre a igreja de Laodiceia, vamos julgar também nosso modo de viver nosso compromisso cristão.

> *"Tu imaginas: 'Sou rico, tenho tudo, nada me falta'. E não sabes que és um infeliz, miserável, pobre, cego e nu!"* (3,17)

Parece que a comunidade de Laodiceia punha confiança demasiada nos bancos de sua rica cidade, em seu ouro, em suas tecelagens, em seu comércio, em seus colírios famosos. Será que o mesmo não está acontecendo com nossas comunidades? Será que não estamos confiantes demais no progresso e no desenvolvimento, na instrução e em todos os meios modernos? Será que ainda estamos convencidos que o mais importante é o amor, o amor que nos une a Deus e aos outros? Será que para nós o bem, a verdade, a justiça, ainda são mais importantes que a riqueza, a segurança, a tranquilidade? *"Tu imaginas: 'Sou rico, tenho tudo, nada me falta'. E não sabes que és um infeliz, miserável, pobre, cego e nu!"*

Para essa situação existe somente uma saída: o caminho da conversão, da volta sincera para o Cristo; a procura da verdadeira verdade, da verdadeira riqueza, do único bem:

> *"Aconselho-te que compres de mim ouro purificado ao fogo, para ficares rico; vestes alvas para te vestires, a fim de que não apareça a vergonha de tua nudez; e um colírio para ungires os olhos de modo que possas enxergar".* (3,18)

O que vimos até agora basta para podermos compreender o sentido desses conselhos. Vamos apenas notar que o Cristo *"aconselha"*. Isto é, ele não impõe, não obriga. Convida, chama. Quer ser aceito por amor. E se suas palavras podem parecer muito duras, não podemos nos esquecer que são motivadas por seu grande amor, por sua preocupação com nosso bem. É o que lemos logo a seguir:

> *"Eu repreendo e castigo aos que amo. Reanima, pois, teu zelo e arrepende-te".* (3,19)

Não há dúvida. Talvez seja nessa carta onde encontramos as provas mais claras da ternura do Cristo para conosco. É o que aparece ainda mais nas palavras seguintes:

> *"Eis que estou de pé, diante da porta, e bato!"* (3,20a)

É conhecido o caso de um pintor (Holman Hunt) que, ao pintar essa cena do Cristo que pede entrada, não colocou fechadura externa na porta. E deu o motivo: é que o coração não se abre de fora; só por dentro. Deus não nos força. Respeita nossa liberdade. Oferece seu amor e pede o nosso. Nós é que devemos decidir se abrimos ou não.

Muitas vezes, no Evangelho, Jesus comparou a recompensa do céu com um banquete. Aqui encontramos o mesmo modo de falar:

> *"Se alguém ouvir a minha voz e me abrir a porta, entrarei em sua casa e cearei com ele, e ele comigo".* (3,20b)

Aqui não se trata apenas da recompensa futura. Trata-se também da salvação e da felicidade que podemos ter já agora, durante nossa vida de participação na comunidade. Essa vida, em companhia de Cristo e dos irmãos, essa vida é que nos garante a vida futura de felicidade para sempre. É o que Jesus continua dizendo:

> *"Ao que vencer, vou fazê-lo sentar-se comigo no meu trono, assim como também eu venci e fui sentar-me com meu Pai em seu trono".* (3,21)

Ainda uma vez, em oposição às falsas riquezas e ao falso poder e à falsa felicidade, João aponta-nos a felicidade verdadeira: estar sempre com o Cristo e com os irmãos, participando perfeitamente da própria vida de Deus.

Imaginação? Sonho? Utopia? Não. Certeza pela fé:

"Quem tiver ouvidos, ouça o que o Espírito diz às igrejas!" (3,22)

Terminando a leitura dessas sete cartas a sete comunidades, vamos procurar aproveitar em nossa vida tudo quanto o Espírito escreveu para nós. Isso porque as cartas não são para serem lidas apenas com curiosidade, como coisas do passado. São palavras de Deus *agora* para nós.

A CERTEZA FUNDAMENTAL

As sete cartas para sete comunidades fizeram-nos compreender como o plano de Deus vai-se realizando na vida da Igreja, apesar das dificuldades internas, das imperfeições e misérias dos cristãos, dos ataques do mundo inimigo. Todas as cartas terminavam com uma mensagem de esperança e de paciência. Todas traziam o convite para uma fidelidade maior.

No capítulo quarto começa como que a segunda parte do Apocalipse. João irá mostrar como o plano de Deus se realizará no futuro, como o Senhor irá vencer todas as oposições, como as derrotas aparentes tornam mais visível seu poder.

Ainda uma vez, é bom lembrar: não vamos procurar no Apocalipse o anúncio preciso de acontecimentos concretos. Vamos procurar uma mensagem de esperança, que nos ajude a ver a mão bondosa de Deus em todos os acontecimentos. Uma mensagem de esperança que nos dê a certeza da vitória final.

Logo de início, João nos oferece dois pontos de apoio e de referência: a soberania de Deus e o poder de Cristo. Será a partir dessas duas certezas que ele nos fará contemplar o panorama da história humana até o final dos tempos. Essa apresentação inicial é feita, seguindo o estilo tradicional dos apocalipses. Em uma visão majestosa irá mostrar-nos o trono de Deus e o lugar ocupado pelo Cristo.

Vamos ler todo o capítulo quarto para termos uma visão de conjunto.

> *"Depois disso, olhei e vi uma porta aberta no céu. A primeira voz que tinha falado comigo, como o som de uma trombeta, dizia: 'Sobe até aqui, e vou mostrar-te o que está para acontecer depois disto'.*

Imediatamente fui arrebatado em espírito: eis que no céu havia um trono, e nesse trono alguém estava sentado. E quem estava sentado parecia semelhante a uma pedra de jaspe e de sardônio. Um arco-íris rodeava o trono, semelhante à esmeralda. Ao redor do trono havia vinte e quatro tronos e sobre os tronos vinte e quatro anciãos, vestidos com vestes brancas e tendo coroas de ouro sobre as cabeças. Do trono saíam relâmpagos, vozes e trovões. Diante do trono ardiam sete lâmpadas de fogo, que são os sete espíritos de Deus. Havia ainda diante do trono como que um mar de vidro, semelhante ao cristal. E, no meio, diante do trono bem como ao redor do trono, quatro seres vivos, cheios de olhos na frente e por detrás. O primeiro ser vivo era semelhante a um leão; o segundo ser vivo era semelhante a um touro; o terceiro ser vivo tinha um rosto como o de um homem; e o quarto ser vivo era semelhante a uma águia em pleno voo. Os quatro seres vivos tinham, cada um, seis asas, e eram cheios de olhos ao redor e por dentro; e não cessavam, dia e noite, de clamar: 'Santo, santo, santo, é o Senhor todo-poderoso, o que é, o que era e o que vem'.

E, quando aqueles seres vivos davam glória, honra e ações de graça àquele que estava sentado no trono, e vive pelos séculos dos séculos, os vinte e quatro anciãos prostravam-se diante daquele que estava no trono, adoravam aquele que vive pelos séculos dos séculos, e depunham suas coroas diante do trono dizendo: 'Tu és digno, Senhor, nosso Deus, de receber a honra, a glória e o poder, porque criaste todas as coisas; e por tua vontade é que existem e foram criadas'." (4,1-11)

A primeira impressão que temos é a de estarmos em um imenso templo ou no imenso salão do palácio dos céus. É o salão do trono onde Deus recebe a homenagem de todas as criaturas. A descrição parece reproduzir as cerimônias das cortes reais do oriente, cheias de brilho das pedras preciosas e das sedas cintilantes. Os gestos são todos solenes e majestosos; solenes e majestosas as aclamações que os presentes dirigem ao soberano. Mas, talvez, a ideia melhor seja a de uma solene cerimônia litúrgica celebrada diante do próprio Deus no templo celeste.

Vamos examinar o texto mais de perto.

Deus é o supremo Senhor de tudo

"... Vi uma porta aberta no céu" (4,1a)

Os antigos imaginavam o céu como se fosse uma imensa abóboda, sólida e brilhante, erguida sobre a planície da terra. Acima dessa abóbada, estavam as águas do céu. Acima desse mar superior estava o céu propriamente dito, o palácio de Deus.

É nessa abóboda que João vê abrir-se uma porta. Podemos imaginá-lo à beira-mar, erguendo os olhos cheio de expectativa, como que à procura de uma explicação para os tempos que estava vivendo. De repente, vê uma luz fulgurante, e ao mesmo tempo, ouve uma voz. A mesma voz que tinha ouvido antes, forte e retumbante como o soar das trombetas.

"... Sobe até aqui, e vou mostrar-te o que está para acontecer" (4,1b)

Nessa frase já temos o tema de todo o resto do livro: a revelação do que escapa a nosso conhecimento e a nossa compreensão. É o próprio Cristo quem será o guia para João em seu encontro com os mistérios de Deus.

É bom notar que em todo o Evangelho, principalmente no de João, já está bem marcado esse papel do Cristo como o *"Revelador"* do Pai. Essa ideia é ainda reforçada pela frase seguinte:

"Imediatamente fui arrebatado em espírito" (4,2a)

"Ser arrebatado em espírito" é ser arrebatado para fora de si mesmo, cair em êxtase, ser levado para um plano diferente da realidade, deixar de ver e ouvir apenas com os olhos e ouvidos. No caso, esse arrebatamento não precisa ser interpretado como um acontecimento real, uma experiência mística. Pode muito bem ser apenas um modo de falar exigido pelo estilo apocalíptico, que procura apresentar a mensagem a partir de um ponto de vista sobre-humano.

A descrição do que João viu no céu é como que um mosaico formado por inúmeros fragmentos tomados do Antigo Testamento e de outros apocalipses. Ao montar um mosaico, o artista vai escolhendo as pedrinhas de diversas cores, coloca-as lado a lado até surgir a imagem completa. É o que faz João. Ele aproveita ideias e palavras de outros escritores do passado, mas o quadro final é obra pessoal dele.

Seria muito interessante fazer uma comparação entre essa passagem e o que escreveram Isaías, Ezequiel e Daniel. Comparação que você mesmo poderá fazer, lendo, por exemplo, o capítulo sexto de Isaías, o capítulo primeiro de Ezequiel e o capítulo segundo de Daniel.

"... No céu havia um trono e nesse trono alguém estava sentado. E quem estava sentado parecia semelhante a uma pedra de

jaspe e de sardônio. Um arco-íris rodeava o trono, semelhante à esmeralda" (4,2b-3)

O trono era o símbolo da realeza, do poder, da majestade: quem estava no trono estava elevado acima dos outros. Deus, o Senhor e Criador de tudo, foi muitas vezes apresentado como o Rei, revestido de esplendor e de glória, muito acima de todo esplendor exibido pelos reis da terra.

Talvez seja o momento de lembrar e deixar bem claro que tudo quanto se usa como comparação para falar de Deus não deve ser tomado pura e simplesmente como realidade. Deus não precisa nem de trono nem de palácios, não usa mantos preciosos nem traz uma coroa na cabeça. Deus está muito acima de tudo quanto podemos imaginar. As comparações são apenas um auxílio para nossa compreensão.

Tanto isso é verdade, que João nem mesmo tenta dar uma descrição de Deus. Diz apenas: Quem estava sentado no trono dava uma impressão de luz, de transparência, de esplendor, de brilho. Era como se fosse o brilho transparente do jaspe precioso, combinado com os reflexos avermelhados do sardônio. Era uma visão deslumbrante, como que envolvida por um arco-íris de tons esverdeados como o brilho das esmeraldas.

Temos a clara impressão de que o escritor tentava, inutilmente, encontrar palavras e imagens para transmitir o que queria dizer. Consegue apenas fazer-nos compreender que Deus é Alguém que é o supremo poder, a suprema beleza, a suprema grandeza. Mais luminoso do que a luz, mais puro do que o cristal, mais precioso do que as mais ricas pedras.

Não podemos compreender o que é Deus. Mas o pouco que podemos perceber já é suficiente para nos arrebatar, para nos encher de alegria e de respeito, para nos deixar sem palavras, como que simplesmente olhando.

Mas, tudo isso ainda não parece suficiente para João. Ele quer mostrar ainda mais claramente que Deus está acima de todos os reis e poderosos da terra. Quer mostrar que Deus é eterno e não está preso ao tempo. Quer mostrar que ele sempre foi Deus e sempre será Deus por toda a eternidade. Em vez de dizer isso assim simplesmente, João vai dizer que o trono de Deus está rodeado por vinte e quatro anciãos majestosos, cheios de poder, de sabedoria e de respeitabilidade. São vinte e quatro reis que, diante de Deus, não passam de simples servidores, súditos e criados. É o que lemos no versículo quarto:

"... Ao redor do trono havia vinte e quatro tronos e sobre os tronos vinte e quatro anciãos, vestidos com vestes brancas e tendo coroas de ouro sobre as cabeças" (4,4)

João tenta completar ainda um pouco a imagem da grandeza divina. Diante dos raios e trovões o homem sente-se pequeno. Qual não deve ser, então, nosso espanto diante de Deus? O que somos nós diante de sua sabedoria, de seu conhecimento infinito? É tão grande a distância que nos separa, que o piso de seu palácio celeste é mais transparente e mais luminoso do que o céu sobre nossas cabeças. É isso e muito mais, que João nos quer dizer quando escreve:

"... Do trono saíam relâmpagos, vozes e trovões. Diante do trono ardiam sete lâmpadas de fogo, que são os sete espíritos de Deus. Havia ainda diante do trono como que um mar de vidro, semelhante ao cristal" (4,5-6a)

A partir do versículo sexto, encontramos a apresentação dos seres misteriosos, os *"quatro seres vivos"*. Os seres vivos são *"quatro"*. Sabemos que esse número quatro tem alguma coisa a ver com o mundo material. Pois bem, cercando o trono de Deus, esses quatro seres lembram o poder do Senhor sobre toda a criação, sua providência que tudo governa com sabedoria, e rapidamente atinge todos os pontos para socorrer a todas as necessidades.

A imagem dos quatro seres vivos é *tomada* do profeta Ezequiel, mas também não é arbitrária: tem um sentido todo especial. O leão, considerado o rei dos animais selvagens, é o símbolo da majestade e da coragem. O touro, rei dos animais domésticos, é o símbolo da força. A águia, rainha das aves, o símbolo da velocidade. O homem, rei da criação, o símbolo da inteligência. Como se vê logo a seguir, esses quatro seres vivos cantam louvores ao que está no trono, reconhecendo sua soberania. Podemos assim reduzir a uma só frase o significado dos quatro seres misteriosos: *"Deus é o supremo Senhor, o mais forte, o mais poderoso, o mais sábio, o que dirige todos os acontecimentos com sua providência. Nada escapa a seus olhos e a seu conhecimento"*. É por isso que João diz que cada um dos quatro seres tem seis asas e estão totalmente cobertos de olhos.

Dia e noite cantam o louvor de Deus: é o modo que João usa para nos dizer que Deus é eterno, não precisa de descanso, para ele não existe tempo, nem dia, nem noite.

O canto de louvor que ressoa continuamente repete três vezes a palavra *"Santo"*. Na linguagem bíblica, *"Santo"* quer dizer *"separado"*. Deus é santo porque está infinitamente acima de todas as criaturas, infinitamente acima de nossas limitações; nele não existe imperfeição. Deus é *"santíssimo"*. Por isso é que a palavra *"Santo"* é repetida três vezes, pois os judeus não conheciam o superlativo.

A grandeza divina, cantada pelos quatro seres, é reconhecida por todos os que estão diante do trono. Os vinte e quatro anciãos atiram suas coroas diante do trono. Esse era o gesto tradicional dos reis que reconheciam o poder de um rei maior que eles.

Temos assim o primeiro princípio básico para podermos compreender o sentido dos acontecimentos da vida da Igreja e da própria humanidade: Deus é o Senhor, em suas mãos está a sorte da humanidade, ele é o juiz, o que tudo governa com sua providência e sua sabedoria. Ele é a explicação de tudo quanto existe. Dele é o momento presente e dele são os tempos futuros.

Cristo é o Senhor

> *"Eu vi também, na mão direita do que está sentado sobre o trono, um livro escrito por dentro e por fora, selado com sete selos.*
> *E vi um anjo forte que clamava em alta voz: 'Quem é digno de abrir o livro e de desatar seus selos?'"* (5,1-2)

Na mão direita de Deus está um livro: no poder de Deus está o conhecimento. É somente ele que nos pode dar a compreensão do presente e do futuro. Sem isso, estamos desorientados, entregues ao desânimo e ao desespero, vendo como o mal parece ter sempre a vitória sem que nos reste nenhuma saída.

O livro que João vê na mão direita de Deus é um livro como se usava antigamente: um rolo de pergaminho ou de papiro. O livro está escrito por dentro e por fora, isto é, dos dois lados, porque contém toda a sabedoria, todos os decretos de Deus. Os rolos de pergaminho ou de papiro eram amarrados com tiras para que não se abrissem facilmente. Quando o conteúdo do livro devia permanecer em segredo, as tiras eram presas com lacre ou com cera derretida, marcados com a impressão de um carimbo. Assim o livro estava *"selado"*.

O livro visto por João está fechado com sete selos. Isso quer dizer que ali está escrito um segredo imenso, o segredo de Deus. Segredo que será conhecido somente se alguém for suficientemente grande e poderoso para romper os selos e abrir o rolo para ser lido.

Quando o anjo poderoso pergunta quem poderá abrir o livro, podemos como que sentir a grande ansiedade que toma conta de João. Para ele, para todos nós, é tremendamente importante a revelação desse segredo divino, para podermos viver o presente e o futuro na confiança e na esperança, apesar de todas as dificuldades que nos cercam. Toda a angústia, toda a ansiedade dos cristãos do primeiro século estão claras nas palavras seguintes:

> *"Mas ninguém, nem no céu, nem na terra, nem debaixo da terra, podia abrir o livro ou olhar para ele. Eu chorava muito porque ninguém foi achado digno de abrir o livro, nem de o ler".* (5,3-4)

Aí está. Diante dos acontecimentos ficamos desorientados. Precisamos de alguém que nos ajude a compreender os planos de Deus. Mas, não existe ninguém, nenhuma criatura, nem um anjo que nos possa ajudar. Por nós mesmos não temos saída. Não podemos encontrar um sentido para nossa vida. Quando percebemos isso, estamos à beira do desespero.

Mas, para nós existe, sim, uma saída, existe, sim, uma explicação. É a saída, a explicação oferecida por Deus que nos mandou o Cristo:

> *"Então, um dos anciãos falou-me: 'Não chores! Eis que saiu vencedor o leão da tribo de Judá, a raiz de Davi. Por isso abrirá o livro e seus sete selos!'"* (5,5)

É fácil saber quem é esse que pode revelar o segredo de Deus, quem é o *"leão de Judá e o descendente de Davi"*.

No capítulo 49 do Gênesis, encontramos uma passagem interessante. O velho patriarca Jacó está para morrer. Reúne a seu redor seus doze filhos, chefes de doze grandes famílias das quais surgirá o povo judeu. Para cada um dos filhos ele tem palavras de bênção e de compreensão. Quando chega a vez do filho chamado Judá, ele diz assim:

"Judá, você será honrado por seus irmãos, será poderoso contra os inimigos. Você é como um leão novo. Você terá o poder de rei até que venha o Salvador prometido" (cf. Gn 49,8-10).

Diante dessa passagem, ficamos sabendo que o *"Leão da tribo de Judá"* é o próprio Salvador, o Cristo descendente de Davi que foi o grande rei do povo de Israel. Aliás, no próprio texto de João, o Cristo é chamado de *"raiz de Davi"*. Essa maneira de falar é tomada do profeta Isaías (11,1ss)

É, pois, o Cristo quem nos dará a chave para podermos compreender todos os acontecimentos, vendo como se encaixam todos no plano de Deus e acabam servindo para sua glória e nossa salvação.

A seguir, João descreve o Cristo usando figuras para nos dar a entender quem é ele para nós:

> *"A seguir olhei, e vi, no meio do trono e dos quatro animais e no meio dos anciãos, um Cordeiro imolado que se mantinha em pé. Tinha sete chifres e sete olhos, que são os sete espíritos de Deus, enviados por toda a terra".* (5,6)

Não vamos tentar imaginar a figura tal como nos é apresentada. Já sabemos que essas imagens não são para serem visualizadas mas para serem interpretadas pela inteligência. Vamos procurar o significado de cada pormenor e teremos o conjunto da ideia que João nos quis transmitir.

Nós sabemos que os antigos ofereciam a Deus sacrifícios de animais. Assim procuravam honrar a Deus e conseguir o perdão dos pecados. O verdadeiro sacrifício que honra a Deus e nos salva é o sacrifício de Jesus. Aceitando até mesmo a morte, ele salvou-nos por sua vida. É por isso que João o apresenta como um cordeiro imolado, sacrificado, oferecido a Deus.

Mas Jesus, passando pela morte e pela derrota, conquistou a vitória; ele ressuscitou. É por isso que o cordeiro aparece como vivo, mesmo trazendo as marcas da morte.

Ele está ali, junto de Deus. Está rodeado pelos quatro seres misteriosos e pelos anciãos, porque é mais importante do que todos eles: é o Filho de Deus. Ele tem o mesmo poder que o Pai, um poder infinito.

É por isso que se diz que ele tem *"sete chifres"*. O chifre é o poder e a força. Ele tem também *"sete olhos"*, porque sabe e conhece tudo como o próprio Pai.

É por isso que ele pode abrir o livro, quebrar os selos e revelar o que Deus vai fazer. É por isso que ele merece e vai receber o louvor e a adoração dos quatro seres vivos e dos vinte e quatro anciãos. Vai ser reconhecido como Salvador e como Deus. João apresenta-nos tudo isso como que descrevendo um grande culto de adoração celebrado no templo do céu:

> *"E ele aproximou-se e recebeu o livro da mão direita do que estava sentado no trono. E quando recebeu o livro, os quatro animais e os vinte e quatro anciãos prostraram-se diante do Cordeiro, tendo cada um uma cítara e taças cheias de perfume, que são as orações dos santos. Eles cantavam um cântico novo, dizendo: 'Tu és digno de receber o livro e de abrir seus selos, porque foste ferido de morte, e, com teu sangue, resgataste para Deus homens de toda tribo, língua, povo e nação. E deles fizeste reis e sacerdotes para nosso Deus, e eles reinarão sobre a terra'".* (5,7-10)

Terminado esse primeiro coro de louvor, ergue-se um outro igualmente grandioso que, praticamente, repete o mesmo hino que antes fora cantado em louvor a Deus (4,11):

> *"Na minha visão ouvi também, ao redor do trono, ao redor dos seres vivos e dos anciãos, a voz de muitos anjos – milhares de milhares e milhões de milhões – bradando em alta voz: 'Digno é o Cordeiro imolado de receber o poder, as riquezas, a sabedoria, a força, a glória, a honra e os louvores'".* (5,11-12)

Ergue-se agora o canto de um terceiro coro – são todas as criaturas do céu e da terra que reconhecem a divindade de Cristo, Filho de Deus, por causa de quem tudo existe:

> *"E ouvi clamar todas as criaturas que estão no céu, na terra, debaixo da terra e no mar – tudo que neles existe: 'Àquele que está sentado no trono e ao Cordeiro, os louvores, a honra, a glória e o poder pelos séculos dos séculos'.*
> *E os quatro animais diziam: 'Amém!', e os anciãos prostravam-se e adoravam".* (5,13-14)

Os capítulos quarto e quinto eram uma introdução absolutamente necessária para tudo quanto vai seguir. Era preciso deixar bem claro que todos os acontecimentos estão sob o controle absoluto de

Deus, Senhor de tudo, e nas mãos de seu Cristo. Tendo esse ponto de apoio e de partida, poderemos olhar tranquilamente para o presente e para o futuro. Poderemos manter nossa esperança, mesmo que não cheguemos a compreender perfeitamente os acontecimentos. Mesmo que nos pareçam obscuros os caminhos de Deus, sabemos que a vitória final será nossa porque temos o Cristo a nosso lado. É justamente isso que o Apocalipse – o livro da esperança – vai mostrar-nos de agora em diante.

IV

A FRAQUEZA DA FORÇA E A FORÇA DA FRAQUEZA

Se pensarmos um pouco, vemos que nossa atual situação é bastante semelhante à de nossos irmãos do primeiro século. Ainda hoje o mal e a opressão parecem estar sempre vencendo. Facilmente continuamos tendo a impressão que a riqueza e o bem-estar são os supremos valores que devemos procurar.

Continuamente nossa confiança está sendo posta à prova pelos sofrimentos, pelas doenças, pelas calamidades. Também nós precisamos de uma mensagem que nos dê clareza e esperança.

A partir do capítulo sexto, a mensagem de João apresenta-se de uma forma dramática e carregada de simbolismos. Vários elementos vão aparecer, muitas vezes repetidos de maneira diversa. Haverá uma sucessão de quadros que se completam, mas nem sempre de forma ordenada. Não podemos ficar presos somente a um. É o conjunto que nos irá sugerir a resposta que procuramos.

Podemos supor que o Apocalipse era bem mais fácil de entender no tempo em que foi escrito. Hoje, nem tudo é compreensível para nós. Entre os que escreveram sobre o Apocalipse há sempre uma grande variedade de interpretações. Seria impossível examinar todas. Vamos procurar a leitura que seja a mais útil para nós, sem pretender que seja a melhor e a mais exata.

Pois bem, encontraremos agora a abertura dos sete selos dos segredos de Deus.

Até onde vai o poder dos homens

"Quando o Cordeiro abriu o primeiro dos sete selos, eu vi e ouvi um dos quatro seres vivos clamar com voz de trovão: 'Vem!' E fiquei olhando, e vi um cavalo branco, e o que montava tinha um arco; foi-lhe dada uma coroa, e ele partiu vencedor para novas vitórias.

E quando abriu o segundo selo, ouvi o segundo ser vivo clamar: 'Vem!' E saiu outro cavalo, vermelho. E ao que o montava foi dado tirar a paz da terra, de modo que os homens se matassem uns aos outros, e foi-lhe dada uma espada.

E quando abriu o terceiro selo, ouvi o terceiro ser vivo clamar: 'Vem!' E pus-me a olhar, e vi um cavalo preto, e quem o montava tinha uma balança na mão. E eu ouvi como que uma voz no meio dos quatro seres vivos clamar: 'Uma medida de trigo pelo salário de um dia e três medidas de cevada pelo salário de um dia; mas o azeite e o vinho, não os danifiques'.

E quando abriu o quarto selo, ouvi a voz do quarto ser vivo que clamava deste modo: 'Vem!' E fiquei olhando um cavalo amarelo, e quem o montava tinha por nome Morte, e o lugar dos mortos o seguia. E foi-lhe dado poder sobre a quarta parte da terra, para matar pela espada, pela fome, pela peste e pelas feras da terra". (6,1-8)

Com o aparecimento desses quatro cavaleiros terríveis, encontramos a primeira resposta a nossas perguntas, e às dos cristãos do primeiro século. Resposta que, ao mesmo tempo, manifesta o poder da justiça divina e a grandeza de seu poder que salva.

O império romano, aquela força imensa que se colocava a serviço do mal, podia parecer invencível. Haveria, porém, de ser humilhado pelas invasões, pelas fome, pela peste. Apesar de todo o seu poderio, seria vencido pela força dos povos oprimidos, pelos desastres econômicos, pelas calamidades da natureza, pela guerra, pelas consequências, afinal, de seus próprios erros. Acima de todos os poderes da terra está o poder de Deus. É inútil o orgulho humano erguer-se contra ele. Tudo isso está sugerido pela imagem dos quatro cavalos e cavaleiros.

O primeiro cavalo é branco, a cor da vitória. O cavaleiro tem uma coroa: coroa de rei, símbolo da vitória. Tem nas mãos um arco, o poder dos exércitos. Sua figura lembra os guerreiros do oriente. Cavaleiros velozes, hábeis no uso das flechas.

O império romano tinha praticamente dominado o mundo. Mas, em suas fronteiras, estavam os povos bárbaros, sempre prontos a atacar. O império é um poder humano que será destruído por homens humilhados e desprezados. Por isso, não precisa ser temido como se pudesse impedir a vitória de Deus. Nem precisa ser obedecido quando quer ocupar o lugar de Deus.

Essa era uma mensagem importante para aqueles cristãos. Mas é importante também para nós. Não podemos ter confiança no poder das armas e da riqueza das nações. Tudo isso é frágil e pode acabar de uma hora para a outra. Vendo o poder das armas, da economia e da técnica sendo tantas vezes usado para oprimir os que procuram a justiça, é bom lembrarmos que a vitória final será do bem.

O segundo cavalo é vermelho e seu cavaleiro tem uma espada. A cor vermelha e a espada indicam a guerra.

Com essa figura João queria lembrar que o império romano, como todos os outros que se baseiam na força, no orgulho e na opressão, acabará vencido pela mesma espada. A força sem justiça acaba caindo por força das desordens por ela mesma criadas. Mais uma vez se mostra a justiça divina que nem precisa mandar castigos. Os homens são castigados por sua própria maldade.

O terceiro cavalo é preto. Seu cavaleiro traz uma balança para pesar os alimentos. É a figura da fome e da carestia.

Talvez a fome seja o que mais rebaixa o orgulho humano. Muito mais do que a morte pura e simples. O cristão não deve temer nem ter confiança absoluta nos poderes dos homens. Basta uma carestia para deixar bem clara a sua fragilidade. Seu castigo será tanto maior quanto mais sobrarem os bens supérfluos e mais faltarem os necessários, indicados pelo óleo e pelo vinho.

O quarto cavaleiro é amarelo. Ou melhor: amarelo-esverdeado, a cor dos cadáveres que apodrecem, cor da peste. Seu cavaleiro é a morte. É seguido por todos os poderes do *"Hades"*, a morada dos mortos, dos poderes que se opõem a Deus.

A morte é a força contra a qual nada pode o orgulho dos impérios. Manifesta a fragilidade das aparentes vitórias da maldade humana.

A mensagem dos quatro cavaleiros terríveis torna-se ainda mais clara com a abertura do quinto selo dos segredos de Deus.

A vitória dos oprimidos

"E quando abriu o quinto selo, vi debaixo do altar as almas dos que foram mortos por causa da palavra de Deus e por causa do testemunho que deram. E clamavam em alta voz dizendo: 'Até quando, ó Soberano, santo e verdadeiro, deixarás de julgar e vingar nosso sangue contra os habitantes da terra?'" (6,9-10)

Os cristãos do primeiro século viviam sempre ameaçados por causa de sua fé. Estavam acostumados a ver muitos de seus irmãos morrendo nas mãos dos carrascos, sendo torturados e presos. É natural que perguntassem: *"Até quando, Senhor, estaremos nessa situação terrível? Quando chegará a vitória que nos prometestes? Quando se mostrará vossa justiça?"* Essa é a pergunta que João coloca na boca de todos os que morreram pelo Cristo e por sua fidelidade a Deus. De todos que foram como que vítimas oferecidas em sacrifício no altar de Deus.

A resposta é breve e clara:

1) *A derrota é apenas aparente*. De fato, eles são os vencedores. É por isso que recebem uma veste branca, símbolo da vitória.

2) *A vitória dos maus é apenas temporária*. Ainda vai chegar o momento em que se mostrará a vitória final de Deus e de seus amigos. Isso o que vemos no versículo 11:

"E foi dada a cada um deles uma veste branca, e foi-lhes dito que aguardassem ainda um pouco, até que se completasse o número dos companheiros e irmãos que estavam, como eles, para ser mortos". (6,11)

Até agora já encontramos duas respostas: O poder dos homens passa. A vitória verdadeira será dos seguidores do Cristo; basta apenas esperar o momento marcado por Deus. A partir do versículo 12, encontramos uma terceira resposta para os cidadãos de todos os tempos: Os maus, apesar de seu orgulho, terão de reconhecer o poder de Deus. Ficarão apavorados com a manifestação de sua justiça. E nem é preciso que pensemos logo no julgamento final. Muitas e muitas vezes vai manifestar-se o poder de Deus que julga. Essa verdade, João vai mostrá-la, usando novamente o modo de falar tradicional dos apocalipses:

"E quando abriu o sexto selo, eu vi que sobreveio um grande terremoto. O sol tornou-se preto como um pano de crina, a lua inteira tornou-se como sangue. E as estrelas do céu caíram na terra como figos verdes que caem da figueira agitada por violenta ventania. O céu desapareceu como um livro que se enrola. E todos os montes e ilhas foram tirados de seus lugares". (6,12-14)

Note bem: nessa passagem encontramos *sete* fenômenos da natureza, indicando todas as forças do céu e da terra que entram em convulsão. Como se tudo estivesse sendo usado para mostrar a tremenda justiça divina. Logo a seguir, encontramos a reação de espanto de *sete* classes de homens, indicando toda a humanidade:

"Então os reis da terra, os magnatas, os chefes militares, os ricos, os poderosos, todos os escravos e todos os homens livres esconderam-se nas cavernas e grutas das montanhas; e diziam às montanhas e aos rochedos: 'Caí sobre nós e escondei-nos da face daquele que está no trono e da ira do Cordeiro! Porque chegou o grande dia de sua ira, e quem poderá subsistir?'" (6,15-17)

A justiça divina que se abate sobre os maus leva-os a esse grito de lamento e de desespero. Diante desse quadro, necessariamente os cristãos tinham de perguntar: *"E nós? O que será de nós?"*

A resposta de João é apresentada em dois quadros paralelos. No primeiro, fala da Igreja que ainda vive nesta terra. No segundo, volta os olhos para a Igreja que já se encontra diante de Deus. Ambos os quadros encerram a mesma mensagem: "Confiança! Confiança, porque nesta terra estamos nas mãos de Deus, porque nos espera a recompensa eterna". Esses dois quadros que formam o capítulo sétimo são uma visão de paz antes da abertura do sétimo selo que marcará uma nova série de manifestações da justiça divina.

"Depois disso eu vi quatro anjos que se conservavam em pé nos quatro ângulos da terra, detendo os quatro ventos da terra, para que nenhum vento soprasse sobre a terra, sobre o mar ou sobre árvore alguma." (7,1)

Como sabemos, os antigos imaginavam a terra como uma imensa planície. Os quatro anjos que estão nas quatro direções simbolizam o poder que domina a força da natureza. Força que se mostra de modo misterioso mas bem visível nos ventos. Os *quatro* ventos são todas as forças naturais. Os *quatro* anjos estão segurando os quatro ventos. Esse momento de espera é exigido pelo sentido do que lemos logo em seguida:

> *"Eu vi um outro anjo que subia do nascente do sol, tendo o sinete do Deus vivo, e que clamou em alta voz aos quatro anjos, aos quais fora dado o poder de danificar a terra e o mar, dizendo: 'Não danifiqueis a terra, nem o mar, nem as árvores, até que tenhamos marcado em suas frontes os servidores de nosso Deus'".* (7,2-3)

Ficamos assim sabendo que haverá uma distinção entre os maus e os que acreditam em Cristo. Estes terão uma sorte diferente porque estarão marcados com o sinete, o carimbo de Deus.

Hoje em dia, os animais ainda são marcados com a marca do dono. Antigamente, os escravos também eram marcados. E havia gente que trazia tatuada no corpo a marca de um deus qualquer. Aproveitando esse fato, João diz que os servos de Deus vivo e verdadeiro também serão marcados. Não haverá confusão entre eles e os maus. Estão separados, estão marcados pelo amor e pela justiça de Deus.

Vimos que todas as calamidades antes anunciadas são figuras da tremenda justiça divina que castiga. Nem por isso podemos pensar que todos os terremotos, inundações e tudo o mais sejam necessariamente castigos. Normalmente são consequências das forças da natureza. Seria preciso um milagre muito grande para nunca acontecerem terremotos, enchentes, pestes e todos os outros desastres que fazem parte da própria natureza em que vivemos. Mas, também é verdade que todas essas misérias devem servir para abrir nossos olhos, para vermos nossa fraqueza, a necessidade que temos do apoio de Deus. Devem ser ocasiões para nossa conversão, para uma procura do que realmente é importante para nós.

"Os que foram marcados com a marca de Deus", esses sabem suportar e enfrentar todas as calamidades. Para eles, tudo isso não é *"condenação"*, mas *"salvação"*.

Logo a seguir, no versículo quarto, começa uma passagem que não podemos entender mal, como se fosse uma resposta exata para os que perguntam quantos são os salvos. João quer apenas dizer que é imenso o número dos servos de Deus.

> *"Ouvi então o número dos marcados: cento e quarenta e quatro mil marcados, de todas as tribos dos filhos de Israel."* (7,4)

Em seguida, João vai dando o nome das doze tribos do povo de Israel, dizendo que de cada uma foram marcados doze mil. O doze é um número simbólico.

As doze tribos de Israel são a figura de todos os servos de Deus. É fácil compreender. Três é o número de Deus. Quatro é o número das criaturas. Três vezes quatro, e temos o doze. Por isso é que João diz que o povo de Deus é formado por doze tribos.

Mas, vamos continuar: 12x12=144. *Mil* é o número do que não se pode contar. Cento e quarenta e quatro mil é, desse modo, o número dos servos de Deus que ninguém pode contar. Eles são uma multidão imensa, são o povo de Deus formado por gente de todos os povos da terra.

Para dar coragem a esse imenso povo de Deus, para essa Igreja que ainda enfrenta as dificuldades desta vida, João apresenta também o quadro da recompensa que os espera junto de Deus:

> *"Depois disso, olhei e vi uma grande multidão que ninguém podia contar, de toda nação, tribo, povo e língua. Conservavam-se de pé diante do trono e diante do Cordeiro, de vestes brancas e palmas na mão. E bradavam em alta voz, dizendo: 'A salvação é de nosso Deus, que está sentado no trono, e do Cordeiro!'"* (7,9-10)

É o hino de agradecimento de todos os que foram salvos. De todos que, com o auxílio de Deus e pelo Cristo, conseguiram a vitória sobre as tribulações e as tentações. Estão revestidos com a túnica branca da vitória, vitória que também é significada pelas folhas de palmeira. A essa adoração dos homens salvos unem-se a adoração e o hino de todos os outros que estão diante de Deus:

> *"E todos os anjos estavam em pé, ao redor do trono, dos anciãos e dos quatro seres vivos, prostraram-se com a face em terra, diante do trono, e adoravam a Deus dizendo: 'Amém. Louvor, glória, sabedoria, ação de graças, honra, poder e força a nosso Deus, pelos séculos dos séculos. Amém'".* (7,11-12)

Pelo contexto já nos ficou bem claro quem são esses que estão diante do trono de Deus e lhe agradecem a vitória conseguida. João, porém, quer deixar mais clara ainda a sua mensagem. Por isso escreve:

> *"Então um dos anciãos falou comigo e perguntou-me: 'Estes, que estão vestidos de vestes brancas, quem são, e de onde vêm?'*

Respondi-lhe: 'Meu Senhor, tu o sabes'.
E ele me disse: 'Estes são os que vêm da grande aflição; lavaram suas vestes e as branquearam no sangue do Cordeiro. Por isso estão diante do trono de Deus, e o servem, dia e noite, em seu templo. E o que está sentado no trono estenderá sobre eles uma tenda. Nunca mais terão fome, nem sede, nem cairá sobre eles o sol ou calor algum, porque o Cordeiro, que está no meio do trono, será seu pastor e os conduzirá às fontes das águas da vida. E Deus enxugará toda lágrima de seus olhos'". (7,13-17)

O sétimo selo

"E quando abriu o sétimo selo, fez-se silêncio no céu por meia hora..." (8,1)

O sete é o número completo, o número da perfeição. A cobertura do sétimo selo anuncia, pois, a realização completa do julgamento de Deus sobre a humanidade. É um julgamento que desconcerta nosso modo de pensar; é um julgamento que não podemos compreender. É por isso que todo o céu fica em silêncio; um longo silêncio de espanto. A força dos homens nada é diante da fraqueza aparente de Deus e de seus fiéis. Sua vitória final deixará a todos sem saber o que dizer nem o que pensar.

Esse julgamento final do Senhor será agora mais claramente apresentado. Será a manifestação do sétimo selo. Um julgamento que se manifestará de modo terrível. Mesmo os bons ficarão como que abismados no terror. *"Houve no céu um silêncio como que de meia hora..."* Apresentando-nos o céu em silêncio por meia hora, João prepara-nos para ouvir coisas espantosas, ao soar das sete trombetas do julgamento.

V

AS TROMBETAS DA VITÓRIA

A abertura do sétimo selo (8,1) anunciou a realização completa do julgamento divino sobre toda a maldade. No céu houve um silêncio de meia hora. Silêncio que introduz como que uma longa pausa de expectativa. O livro foi completamente desenrolado: os decretos divinos começam a ser executados ao som de *sete* toques de *sete* trombetas.

Os *quatro* primeiros toques vão anunciar o julgamento divino que, em forma de calamidades, se abate sobre o mundo físico: o mar, os rios, a terra, o céu. Os *três* últimos anunciam o castigo sobre os homens ímpios, que o Apocalipse geralmente chama de *"habitantes, moradores da terra"*.

O fato de essas calamidades serem apresentadas como um conjunto de *sete* pragas (que fazem lembrar as pragas do Egito), bem como o fato de esse conjunto vir dividido em dois blocos de *três* e *quatro*, isso basta para nos avisar que não devemos ler essas passagens como se fossem o anúncio de fatos determinados que devessem acontecer na mesma ordem e do mesmo modo como são descritos. Mais uma vez, a linguagem usada por João será a maneira de falar usada em todos os apocalipses. É uma linguagem convencional, carregada de simbolismos, cheia de imagens fortes, movimentadas e coloridas. É uma linguagem própria para impressionar e espantar. Vamos encontrar um grande acúmulo de pormenores que devem ser tomados em seu conjunto, sem procurarmos o significado de cada um dos detalhes.

Levando ainda em conta o estilo apocalíptico, podemos dizer que o conjunto das sete trombetas praticamente retoma a mensagem dos sete selos: *"Os justos não devem desesperar; a vitória final será de Deus e de seu Cristo"*. A repetição serve exatamente para dar mais força à mensagem transmitida.

A sentença no templo dos céus

A execução dos decretos divinos é introduzida por uma cena que se passa no templo do céu, templo descrito como semelhante ao templo de Jerusalém. Também no céu João vê um altar sobre o qual eram queimadas as vítimas, e um outro altar sobre o qual eram oferecidos os sacrifícios de incenso e perfumes. Estamos assistindo a um ato de culto celeste: Deus será honrado pela manifestação de sua justiça. Vamos visualizar a cena:

> *"Depois eu vi os sete anjos que assistem diante de Deus; e lhes foram dadas sete trombetas".* (8,2)

No AT, muitas vezes as trombetas aparecem como anúncio das manifestações de Deus. É fácil compreender o porquê. As trombetas eram usadas para anunciar a chegada do rei, para anunciar seus decretos e para dar início às batalhas. Os sete anjos recebem trombetas. Estão para ser anunciados os julgamentos de Deus. Está para começar a grande batalha. Está chegando Deus que vem como um rei poderoso e vingador.

> *"Veio então um outro anjo, e pôs-se de pé diante do altar, segurando um incensório de ouro.*
> *Foram-lhe dados muitos perfumes, para que os oferecesse, com as orações de todos os santos, no altar de ouro, que está diante do trono. E a fumaça dos perfumes subiu da mão do anjo, com as orações dos santos, até diante de Deus."* (8,3-4)

Oferecer incenso é um ato de adoração. Desse ato, no templo do céu, participa todo o povo de Deus, também os que ainda vivem na terra. Suas orações, purificadas pelo fogo, sobem até Deus como a fumaça perfumada do incenso. Essas orações são hinos de louvor, mas são também pedidos de justiça e proteção contra os que perseguem a Igreja. Esse clamor por justiça será atendido. E para nos dar a entender que isso acontecerá muito em breve, João descreve um gesto simbólico do anjo, gesto simbólico que aparece no livro do profeta Ezequiel (10,2):

> *"Em seguida o anjo tomou o incensório, encheu-o de brasas do altar, e lançou-o sobre a terra. E houve trovões, ruídos, relâmpagos e terremotos".* (8,5)

Essas brasas irão atear no mundo o grande incêndio da justiça divina. Deus vai mostrar-se, e sua presença será marcada pelos sinais tradicionais das grandes teofanias: relâmpagos, trovões, terremotos. A criatura se apavora diante de seu Senhor! Agora sim, tudo pode começar:

> *"Então os sete anjos, que tinham as sete trombetas, prepararam-se para tocar..."* (8,6)

O julgamento da terra

> *"O primeiro anjo tocou... Saraiva e fogo, misturados com sangue, foram lançados sobre a terra. E queimou-se uma terça parte da terra, uma terça parte das árvores e toda erva verde".* (8,7)

Como estamos lembrados, as calamidades trazidas pelos quatro cavaleiros atingiram a quarta parte da humanidade. Agora, o castigo já é maior: atinge a terça parte de toda a terra. Terra requeimada pelo granizo e pelos incêndios. A consequência será a carestia, a fome, a miséria.

Depois da terra firme, chega a vez de o mar ser açoitado pelos flagelos da justiça divina. O mar, com sua imensidão, sugere a grandiosidade terrível do quadro descrito por João:

> *"E o segundo anjo tocou... Caiu, então, no mar uma grande massa, ardendo em fogo, semelhante a uma enorme montanha, e transformou-se em sangue uma terça parte do mar. Morreu uma terça parte das criaturas que estavam no mar, e pereceu uma terça parte dos navios".* (8,8-9)

O mar, além de ser, no modo de pensar dos judeus, um dos quatro componentes do mundo, era também um símbolo dos poderes do mal que se opõem a Deus.

Depois do mar, os rios também são atingidos:

> *"E o terceiro anjo tocou... Caiu, então, do céu uma grande estrela, ardendo como a tocha. Ela caiu sobre a terça parte dos rios e sobre as fontes das águas. O nome da estrela era 'Absinto'. Uma terça parte das águas transformou-se em absinto, e muitos homens morreram em consequência dessas águas, porque se tornaram amargas".* (8,10-11)

O nome da estrela é *"Absinto"*. Absinto é a mesma planta que nós conhecemos com o nome de *"losna"*. Estamos acostumados a dizer: a morte é amarga, o sofrimento é amargo. Podemos dessa forma compreender porque João diz que o nome da estrela era *"Absinto"*, *"Amargura"*. Sob o castigo divino, os rios e as fontes já não oferecem água que possa ser bebida. Passam a ser fontes de peste e de morte.

Depois do amargor, encontramos as trevas sobre a terra:

> *"E o quarto anjo tocou... Foi atingida, então, uma terça parte do sol, uma terça parte da lua e uma terça parte das estrelas, de modo que se obscureceram em um terço. E o dia perdeu um terço de sua claridade, assim como a noite".* (8,12)

As trevas apavoram o homem. Dizer que o sol e a lua e as estrelas irão perder seu brilho é o mesmo que dizer que a humanidade estará mergulhada no medo e no desespero.

Vamos notar ainda uma vez: os castigos anunciados pelo soar das trombetas são apresentados em uma linguagem convencional, tradicional na literatura bíblica. Justamente por isso – porque estamos dentro do estilo apocalíptico – esses anúncios não podem ser tomados ao pé da letra, como descrição real do que irá acontecer. Não são, de modo algum, uma *"previsão do tempo"*. Com essas descrições imaginosas estamos novamente colocados diante da mensagem que já encontramos anteriormente: "Não desesperem". O triunfo do mal não vai durar para sempre. A injustiça será vencida pela manifestação da justiça e do poder de Deus. Mesmo as calamidades e desastres naturais servem para a realização do plano de salvação. Basta continuarmos firmes e chegará o momento do Senhor.

Vendo como todo o mundo material cai sob os golpes divinos, somos convidados a não colocar nossa confiança em nada disso que tão facilmente acaba. Nossa esperança deve estar no poder e na bondade de quem nos salva.

Depois do soar das quatro primeiras trombetas, João introduz uma visão que serve ao mesmo tempo para marcar o primeiro conjunto de calamidades que atingem o mundo material e para ressaltar o horror das três últimas que atingirão diretamente os homens:

> *"Então eu vi e ouvi uma águia que voava no mais alto do céu, clamando em alta voz: 'Ai, ai, ai, dos habitantes da terra, por causa dos restantes sons das trombetas, que os três anjos ainda vão tocar!'"* (8,13)

Não é preciso ficar procurando o que significa essa águia. Simplesmente João precisava introduzir um mensageiro de Deus para anunciar o que vem a seguir. A voz é forte, vem do mais alto dos céus, para que todos possam ouvir: *"Infelizes, infelizes, infelizes dos moradores da terra"*. Mais vezes encontramos na Escritura esse tipo de lamentação que se opõe exatamente às palavras de bênçãos que também encontramos outras vezes: *"Bem-aventurados..."* (Mt 5,3). Podemos lembrar como exemplo: *"ai de ti, Corozaim! Ai de ti, Betsaida!..."* (Mt 11,21).

As lamentações da águia referem-se não a todos os homens, mas apenas aos que praticam o mal. Esses é que no Apocalipse são chamados de *"habitantes da terra"*. Pelo menos sete vezes a expressão aparece com esse sentido especial.

O julgamento dos homens

Para melhor podermos visualizar a descrição do soar das três últimas trombetas, é preciso levar em conta um modo de pensar dos antigos. Eles imaginavam que debaixo da terra estava o *"abismo"*, a morada dos mortos e principalmente dos demônios. Esse abismo estaria ligado à superfície da terra mediante um imenso poço. As *"chaves"* desse poço estavam em poder de Deus. Vamos ver que, ao soar da quinta trombeta, um anjo, descrito como uma estrela, recebe as chaves, o poder para abrir o abismo e libertar os poderes da morte:

> *"E o quinto anjo tocou... Vi, então, uma estrela cair do céu na terra. Foi-lhe dada a chave do poço do abismo. Ela abriu o poço do abismo, e dele saiu fumaça, como de uma grande fornalha. E o sol e o ar obscureceram-se com a fumaça do poço.*
> *E, da fumaça, saíram gafanhotos que se espalharam pela terra, e foi-lhes dado um poder semelhante ao dos escorpiões da terra. Mas foi-lhes dito que não causassem dano à erva, à verdura, ou à árvore alguma, mas somente aos homens que não têm o selo de Deus na fronte.*
> *E foi-lhe ordenado que não os matassem, mas os afligissem por cinco meses, sendo seu tormento semelhante à picada do escorpião. Nesses dias, os homens buscarão a morte e não a conseguirão. Desejarão morrer e a morte fugirá deles".* (9,1-6)

Logo a seguir, João descreve o exército terrível dos gafanhotos. Descrição apavorante mesmo para os orientais que já estavam acostumados com as grandes nuvens de gafanhotos que de tempos a tempos destruíam as plantações e as pastagens. Basta ler para podermos perceber que estamos diante de uma realidade muito mais terrível: estamos diante de um mal de ordem moral.

> *"O aspecto desses gafanhotos era o de cavalos aparelhados para a guerra. Em suas cabeças havia uma coisa parecida com coroa de ouro; seus rostos eram como rostos de homem; seus cabelos eram como os das mulheres, seus dentes como os dentes do leão; e tinham couraças como couraças de ferro, e o ruído de suas asas era como o ruído de carros de muitos cavalos indo à guerra. E tinham caudas semelhantes à do escorpião, com ferrões; e nas caudas o poder de afligir os homens por cinco meses. E eles tinham por rei, acima deles, o anjo do abismo, chamado em hebraico 'Abaddon' e em grego 'Apollyon'."* (9,7-11)

Esta última frase é importante para compreendermos o sentido da passagem. O rei desse exército terrível de gafanhotos espantosos é o *"anjo do abismo"* e seu nome é *"Destruição"*. Seguindo uma interpretação tradicional, podemos dizer que João está anunciando a libertação dos poderes do mal para que venham castigar os inimigos de Cristo.

Vamos voltar ao versículo quarto:

> *"Foi dito (aos escorpiões) que não causassem dano à erva, à verdade ou a árvore alguma, mas somente aos homens que não têm o selo de Deus na fronte.*
> *E foi-lhes ordenado que não os matassem, mas os afligissem por cinco meses".* (9,4-5)

Os poderes do mal e da terra e da morte não têm poder próprio sobre a criação, nem mesmo sobre os homens. Os homens é que por seu próprio pecado se tornam escravos do mal. Livremente é que eles se entregam ao príncipe do mal, que, no dizer de João, se chama *"Destruição", "Perdição".*

Descrevendo essa invasão pavorosa de gafanhotos, o Apocalipse mostra-nos como pode ser terrível, ainda nesta terra, a sorte dos que não aceitam a salvação. Entregaram-se ao mal, pensando encontrar a felicidade, a vida, a liberdade. Encontram justamente o contrário. Podemos dizer que é do próprio coração do pecador que surge esse exército terrível de gafanhotos que são o remorso, o desespero, o tédio, o vazio, a revolta, a sensação de fracasso e de inutilidade, o ódio contra todos e contra si mesmo. Será o tormento da própria consciência que acusa e tortura tanto que a própria morte pareceria bem-vinda como uma libertação:

> *"Nesses dias, os homens buscarão a morte e não a conseguirão; desejarão morrer, e a morte fugirá deles!"* (9,6)

A leitura das calamidades anunciadas pela quinta trombeta poderia dar a impressão de já termos atingido o ponto mais baixo da miséria e do pavor. É por isso que João faz questão de afirmar:

> *"Terminado assim o primeiro 'ai', eis que, depois deles, dois outros 'ais' vêm ainda".* (9,12)

Antes de continuar a leitura, é bom saber que o rio Eufrates formava como que a divisa natural entre o mundo civilizado e o mundo bárbaro que se estendia para o oriente da Palestina. Mundo misterioso e temido. Dali tinham vindo os assírios, os babilônios, os persas, os invasores que tanto tinham feito sofrer o povo judeu. Ainda no tempo de João, era do outro lado do rio Eufrates que estavam os partas, povo bárbaro que ameaçava continuamente as fronteiras orientais do império romano. Os partas eram notáveis e célebres por sua cavalaria de guerra, rápida e muito ágil no uso do arco e da flecha. Tendo isso na lembrança, ouçamos agora o soar da sexta trombeta:

> *"E o sexto anjo tocou... Ouvi, então, uma voz que vinha das quatro pontas do altar de ouro que está diante de Deus, e que dizia ao sexto anjo que tinha a trombeta: 'Solta os quatro anjos que estão acorrentados no grande rio Eufrates'. E então foram soltos os quatro anjos que se conservam preparados para a hora, o dia, o mês e o ano, a fim de matar uma terça parte dos homens..."* (9,13-15)

Mais uma vez aí temos o número quatro; quatro anjos que são figuras do poder de Deus. São quatro porque vão levar a destruição às quatro partes da terra.

O poder da justiça divina manifesta-se agora como um poderoso exército que vem para executar seus decretos. É um exército imenso, segundo a descrição de João. Ele nem o pôde contar; foi preciso que alguém lhe dissesse o número dos guerreiros:

> *"E o número dos soldados de cavalaria era de duzentos milhões: ouvi seu número.*
> *E foi assim que eu vi os cavalos e os que os montavam: tinham estes couraças de fogo, de jacinto e de enxofre; as cabeças dos cavalos eram como cabeças de leão, e de suas cabeças saíam fogo, fumaça e enxofre.*
> *E uma terça parte dos homens foi morta por esses três flagelos: fogo, fumaça e enxofre, que lhes saíam da boca. Porque o poder dos cavalos está nas bocas e nas caudas, pois suas caudas assemelham-se a cobras que têm cabeças e causam dano com elas".* (9,16-19)

Não vamos nos impressionar com a descrição que é feita dos cavalos e dos cavaleiros. Os pormenores servem apenas para compor o quadro terrível de uma invasão de bárbaros e não têm um significado especial. Foram tomados das tradições populares e até mesmo de obras de arte do tempo. Entre os poetas, o fogo, a fumaça e o enxofre serviam sempre para caracterizar os poderes do mal. Para nós, o importante é a mensagem. A resposta para a pergunta dos cristãos daquele tempo, que ainda hoje continua sendo a nossa. Podemos resumir assim a mensagem: Pode parecer muito grande a força dos que oprimem os cristãos. Pode parecer que a força do império romano, e de todos os outros impérios humanos, irá impedir a realização da salvação trazida pelo Cristo. Acontece, porém, que toda essa força pode desmoronar de uma hora para outra. O poder de Deus é que continua dirigindo a história da humanidade. Quase sempre as injustiças cometidas pelos poderosos serão castigadas pelas tempestades sociais e políticas que eles mesmos semearam.

O exército de duzentos milhões de cavaleiros é justamente a imagem do poder divino que intervém na história para julgar, para castigar e para salvar. Todos os acontecimentos, até mesmo as guerras mais terríveis, são convites para que os homens tomem o bom caminho. Mesmo castigando, Deus está convidando para a conversão. Isso, aliás, é o que aparece claramente na continuação do texto:

> *"Mas o restante dos homens, que não foram mortos por esses três flagelos, não se arrependeram das obras de suas mãos: Não deixaram de adorar os demônios e os ídolos de ouro, prata, cobre, pedra e madeira, que não podem ver, ouvir e andar. E não se arrependeram de seus homicídios, seus malefícios, sua prostituição e furtos".* (9,20-21)

Mesmo quando Deus castiga, convidando para a conversão, os homens continuam livres. Podem fechar os olhos e continuar agarrados a todos os seus falsos valores, aqui apresentados como idolatria, imoralidade, feitiçaria, violência, ganância. Podem encontrar explicações para tudo que acontece e continuar tranquilamente em suas más obras.

É certo que os maus não poderão impedir o plano de salvação traçado por Deus. Continuarão, porém tentando sempre resistir à força de Deus. Não podemos ficar imaginando que um grande castigo qualquer bastaria para obrigar toda a humanidade a mudar de vida. Até o fim, até o momento marcado por Deus, haverá sempre a oposição contra o Evangelho de Cristo. Até essa manifestação final da justiça divina, os homens estarão sempre na situação de quem deve escolher e tomar uma decisão diante do convite de Deus. Convite que se manifesta nos acontecimentos, alegres ou tristes. Basta saber compreendê-los.

É preciso continuar testemunhando

A mensagem anunciada poderia parecer inacreditável. Era preciso confirmá-la com o testemunho do próprio Deus. É o que João faz narrando uma outra visão:

> *"E eu vi um outro anjo poderoso, descendo do céu, revestido de uma nuvem e com arco-íris em torno da cabeça; seu rosto era como o sol, suas pernas como colunas de fogo.*
> *Segurava na mão um pequeno livro aberto. Pôs o pé direito sobre o mar, o esquerdo sobre a terra, e começou a clamar em alta voz, como um leão que ruge".* (10,1-3)

Majestosa a figura desse anjo. Ele está revestido de força: é a manifestação da força do próprio Deus. Sua estatura é imensa: sua cabeça se perde no arco-íris do céu, as nuvens são o manto que recobre seu corpo. Ele domina o mundo: tem um pé sobre o mar e o outro sobre a terra. A glória do Senhor faz que seu rosto brilhe como o sol. Sua imagem faz lembrar a imagem do próprio Cristo que encontramos no capítulo primeiro, versículo doze e seguintes.

A visão de força e poder completa-se ainda com o som de um grito poderoso que faz ressoar a terra e o céu:

> *"... e começou a clamar em alta voz, como um leão que ruge. E depois ele clamou, os sete trovões ressoaram".* (10,3)

João pôde perceber imediatamente o significado dessa visão que, de certo modo, se condensava no ressoar desse grito poderoso:

> *"Quando os sete trovões ressoaram, já me preparava para escrever, mas ouvi uma voz do céu que dizia: 'Sela o que falaram os sete trovões, e não o escrevas!'"* (10,4)

Selar o que os trovões disseram quer dizer conservar em segredo sua mensagem. É inútil ficar imaginando o que João não deve escrever. Talvez esteja apenas a nos ensinar que devemos aceitar humildemente que Deus, em sua bondade e em sua sabedoria, deixe muita coisa oculta para nós. Ou, quem sabe, está apenas acrescentando um toque de mistério à imponência da visão. O certo é que logo a seguir temos uma palavra de grande importância para nós: nossa esperança está garantida por um juramento de Deus, infalivelmente chegará o dia da realização das promessas. É o que lemos a seguir:

> *"Então, o anjo, que eu tinha visto de pé sobre o mar e a terra, ergueu a mão direita ao céu, e jurou. Jurou por aquele que vive pelos séculos dos séculos, que criou o céu e tudo o que há nele, a terra e tudo o que há nela, o mar e tudo que contém: 'Não há mais tempo; mas nos dias do som do sétimo anjo, quando começar a tocar a trombeta, o mistério de Deus se cumprirá, de acordo com a boa-nova que anunciou pelos seus servidores, os profetas'".* (10,5-7)

As mensagens das seis trombetas anunciavam grandes calamidades. Haveria sofrimentos também para os seguidores de Cristo. Sabemos muito bem como o sofrimento faz que o tempo passe devagar. Colocados em tantas dificuldades, os cristãos poderiam pensar que Deus se tivesse esquecido deles. Poderiam pensar que nunca iria chegar o momento da salvação final. É por isso que, para nos dar coragem, o anjo garante com um juramento: "Não tenham dúvida. Deus vai manifestar seu poder e sua bondade. Ele vai salvar. Isso é absolutamente certo. Vai soar a última trombeta. Vai soar logo, como se já não mais houvesse tempo de espera. E logo que soar se cumprirá o que foi anunciado pelos profetas".

Para os cristãos atormentados pelos poderes do mal, Deus manda uma mensagem de paz. É só lembrar como o anjo tem o arco-íris em torno da cabeça. O arco-íris é o símbolo da paz e da vitória.

Reafirmada a validade da mensagem, João reafirma sua missão: deve anunciar, deve continuar testemunhando até que todos ouçam sua mensagem. A continuação da visão faz-nos lembrar o profeta Ezequiel:

> *"Então, a voz que eu tinha ouvido do céu falou-me de novo, e disse: 'Vai, e toma o pequeno livro aberto da mão do anjo que está de pé sobre o mar e a terra'. Fui eu, pois, ter com o anjo, dizendo-lhe que*

> *me desse o pequeno livro. E ele me disse: 'Toma, e come-o; ele te será amargo nas entranhas, mas te será, na boca, doce como o mel!'*
> *E tomei o pequeno livro da mão do anjo, e comi-o! E ele era, na minha boca, doce como o mel; mas depois de o ter comido, amargou-me as entranhas.*
> *Então me foi dito: 'Urge que ainda profetizes de novo a numerosas nações, povos, línguas e reis'".* (10,8-11)

Antes de procurar o sentido dessa passagem, vamos ver um trecho semelhante no livro do profeta Ezequiel. Começa no versículo oitavo do segundo capítulo: *"E tu, filho de homem, escuta o que vou dizer e não sejas rebelde como esta geração desobediente. Abre tua boca e come o que te vou dar. Eu olhei e vi: uma mão se estendia para mim, segurando um livro enrolado. O livro foi desenrolado diante de mim; estava escrito dos dois lados. Ali estava escrito: 'Lamentações, gemidos e queixas'. E Deus me disse: 'Filho de homem, come o que te é apresentado. Come este livro e vai falar à casa de Israel' Eu abri a boca e ele me fez comer o volume... Eu o comi e em minha boca ele era doce como o mel"* (Ez 2,8-3,3).

No livro do profeta Isaías (6,5), um anjo toca os lábios do profeta com uma brasa ardente. Isso quer dizer que o profeta está recebendo a missão de falar em nome de Deus, tendo para isso os lábios purificados. A mesma ideia é apresentada pelo profeta Jeremias (1,9), quando diz que Deus mesmo lhe tocou nos lábios e colocou suas palavras em sua boca. João e o profeta Ezequiel usam uma outra linguagem, talvez mais concreta, quando querem dizer que também receberam a missão de falar. Dizem que Deus lhes ordenou comer o livro onde estavam escritas as palavras divinas.

As palavras de Deus são promessas de salvação. Enchem de consolação o coração dos profetas. Por isso dizem que o livro era doce como o mel. Acontece, porém, que no Apocalipse encontramos um detalhe novo. Para João, o livro é doce na boca, mas amargo no estômago. É que João nos quer dar uma ideia a mais. Se a missão de falar em nome de Deus é doce e agradável por ser anúncio de salvação, ela enche o profeta também de tristeza. Porque ele deve anunciar também calamidades e sofrimentos. Porque ele, bem depressa, irá perceber que muitos não ouvirão suas palavras, e assim para eles a mensagem de salvação será ocasião de julgamento e condenação. E mais ainda, falar em nome de Deus é uma alegria, mas ao mesmo tempo é uma dura missão. Quase sempre o profeta deve sofrer e, às vezes, morrer por causa da mensagem que anuncia.

E a Igreja testemunha até o fim

Depois da abertura do sexto selo e das calamidades anunciadas, João apresentou-nos o quadro dos justos na terra, os cento e quarenta e quatro mil que simbolizam todo o povo de Deus. Vimos também o quadro da recompensa celeste dos que permaneceram fiéis. Agora, depois da sexta trombeta, encontramos algo semelhante. No capítulo décimo, temos a reafirmação, com um juramento, das promessas divinas. No capítulo onze, encontramos um quadro que nos apresenta a comunidade dos fiéis, a Igreja, que vai enfrentando as perseguições enquanto continua anunciando a salvação. Cuidadosamente, continua João, alternando os quadros sombrios e os luminosos.

A ideia central do capítulo onze, até o versículo treze, pode ser assim condensada: Apesar de todas as calamidades anunciadas, a Igreja continuará sendo testemunha das promessas e do poder de Deus. Haverá sempre uma vitória aparente e temporária dos inimigos. A vitória final, porém, será do Cristo e de seus fiéis.

Esse capítulo é um tanto difícil de se entender, porque está cheio de lembranças do Antigo Testamento, que não podemos perder de vista. Depois de estudá-lo passo a passo, será bom fazer uma leitura seguida para termos uma visão de conjunto.

> *"E foi-me dada uma vara semelhante a uma cana, e disseram-me: 'Levanta-te, e mede o templo de Deus e o altar com seus adoradores; mas o átrio, fora do templo, deixa-o de lado e não o meças: foi dado às nações, que hão de calcar aos pés a cidade santa por quarenta e dois meses'."* (11,1-2)

João recebe a ordem de medir o templo. O templo de Jerusalém é usado aqui como figura da comunidade, da Igreja de Cristo. Outras vezes é toda a cidade de Jerusalém que é usada com o mesmo simbolismo.

Mas, o que significa *"medir"* o templo e contar os que ali estão adorando a Deus? Muitas vezes no AT o povo é chamado de *"herança de Deus"*, a parte, a terra, o rebanho que lhe pertencem. Para dividir uma terra entre os herdeiros, é preciso medir os vários lotes; é preciso também contar as cabeças para dividir o rebanho. A Igreja é *"medida"*, é *"contada"* porque é a parte que Deus escolheu como sua herança, como sua partilha.

No AT, encontramos uma outra passagem que nos ajuda a compreender o significado dessa medição e dessa contagem. Está nos capítulos 40, 41 e 42 do livro do profeta Ezequiel. Deus quer que o profeta anuncie que os judeus vão voltar do cativeiro e vão reconstruir o templo e a cidade de Jerusalém. Para fazer o povo compreender melhor, Ezequiel conta uma visão. Conta que foi levado para medir um novo templo. Medindo, Deus toma posse do templo que passa a ser sua herança, o centro onde se reunirá o povo escolhido e protegido.

No capítulo sétimo do Apocalipse, vimos como os escolhidos de Deus receberam sua marca na testa. Aqui temos a mesma ideia apresentada com outra imagem: A Igreja vai ser medida, os fiéis vão ser contados porque são a parte da herança do Senhor.

João não deve medir os pátios que estão do lado de fora do templo. Isso porque eles e o resto da cidade ficarão entregues aos inimigos. É a mesma ideia que já encontramos outras vezes. A Igreja está sob a proteção de Deus, mas está cercada pelos inimigos, e até parece muitas vezes que eles são os vencedores. Irão dominar a cidade durante quarenta e dois meses. É mais um exemplo dos números simbólicos do Apocalipse. Logo mais adiante vamos encontrar a menção de mil duzentos e sessenta dias, e logo depois um prazo de três dias e meio. O que significam esses prazos?

Vamos fazer algumas contas. Quarenta e dois meses são exatamente três anos e meio. Não é mesmo? Mil duzentos e sessenta dias são também mais ou menos três anos e meio.

Vamos agora abrir o livro do profeta Daniel, capítulo sétimo, versículo 23. O profeta anuncia que um reino inimigo irá perseguir o povo de Deus: *"os santos serão entregues em suas mãos por* ***um tempo, dois tempos e meio tempo****"*. Conforme os entendidos, nesta passagem a palavra *"tempo"* quer dizer *"ano"*: o povo será perseguido durante três anos e meio. Ao que parece, esse tempo de três anos e meio ficou proverbial entre os judeus sempre que falavam de alguma calamidade enviada por Deus (cf. Lc 4,25; Tg 5,17). Dizendo que os pagãos vão dominar

Jerusalém durante três anos e meio, João não está marcando um prazo exato. Está apenas usando um modo tradicional de anunciar um tempo de dificuldades. Tempo que, por mais difícil que seja, será sempre curto, não durará para sempre, mas apenas três anos e meio ou três dias e meio. Se o *sete* é o número da perfeição, *três e meio* (a metade de sete) é o número da imperfeição, do que passa logo.

Resumindo o que vimos até agora: No meio de todas as calamidades anunciadas, a Igreja será como que uma fortaleza protegida por Deus; os inimigos aparentemente estarão vitoriosos, mas isso será apenas por pouco tempo. Continuará testemunhando o anúncio e a esperança da salvação. É o que ficará mais claro a partir do versículo terceiro:

> *"'Darei a minhas testemunhas o poder de profetizarem, vestidas de estopa, por mil duzentos e sessenta dias'. São eles as duas oliveiras e os dois candelabros que se mantêm diante do Senhor da terra. Se alguém lhes quiser causar dano, sairá fogo de suas bocas e devorará os inimigos; com efeito, se alguém os quiser ferir, cumpre que assim seja morto. Eles têm o poder de fechar o céu para que não caia chuva durante os dias de sua profecia; têm poder sobre as águas, para transformá-las em sangue; e de ferir a terra, sempre que quiserem, com toda a sorte de flagelos".* (11,3-6)

À primeira vista, poderíamos pensar que João está anunciando que Deus vai mandar dois profetas, vestidos com roupas de luto e de penitência, para anunciarem a mensagem de salvação e de julgamento. Esses dois profetas seriam como Elias e Moisés, os dois grandes profetas do passado, que tantas vezes anunciaram os castigos de Deus em forma de secas, pragas e morte. Não é, porém, preciso pensar assim. Seguindo a opinião de muitos estudiosos antigos e modernos, podemos dizer que João está anunciando que a Igreja toda, no meio das tribulações, continuará dando seu testemunho de fé em Cristo.

Para tornar a afirmação mais concreta é que ele usa duas figuras simbólicas, apresentadas como *"duas oliveiras"* e *"dois candelabros que estão diante do Senhor"*. Essas comparações são tomadas do livro de Zacarias (cap. 4): A palavra da Igreja é como que a luz da salvação; a própria Igreja é como que uma oliveira, a árvore que fornece o óleo; óleo que ilumina, cura e perfuma.

João diz que os dois profetas falam com autoridade e podem até mesmo castigar os que não quiserem ouvir sua mensagem. Aqui o poder de castigar é importante apenas como afirmação da autoridade da Igreja. Ela não anuncia uma mensagem humana, mas está falando em nome do próprio Deus; anuncia sua palavra que é salvação para os que a aceitam e condenação para os que a repelem.

Essa presença dos discípulos de Jesus que anunciam a salvação incomoda e perturba os infiéis. Incomoda principalmente os poderes do mal. É por isso que serão perseguidos. Sempre haverá quem queira fazer calar suas vozes. E muitas vezes, de fato, parecerá que serão derrotados, e os inimigos festejarão a vitória. É o que João descreve logo a seguir:

> *"Mas, depois que tiverem terminado seu testemunho, a fera, que subirá do abismo, há de fazer guerra contra eles; vencê-los-á e matá-los-á. Seus cadáveres jazerão na praça da grande cidade que se chama simbolicamente 'Sodoma' ou 'Egito', onde seu Senhor foi crucificado".* (11,7-8)

Aparece aqui uma nova passagem no drama do Apocalipse: *"A Fera"*, ou *"O Monstro"*, *"A Besta"*, como lemos em outras traduções. De momento, nenhuma explicação é dada por João; mais tarde é que teremos maiores informações. Por enquanto, basta saber que *"A Fera"* é a personificação do mal, das forças que lutam contra Deus e seus fiéis. *"A Fera"* vem do abismo, do mar ou das partes inferiores da terra, na linguagem tradicional da Bíblia.

Podemos dizer que, provavelmente, essa *"Fera"* identifica-se, para João, com o Império Romano, o grande perseguidor. Os exércitos tomados vinham do outro lado do mar: mais um motivo para dizer que o *"Monstro"* surge dos abismos do mar.

Pois bem. A *"Fera"* lutará contra as duas testemunhas, que simbolizam a Igreja. Seus corpos ficarão atirados na praça. Os antigos consideravam como uma das maiores desgraças o fato de alguém, depois de morto, ficar sem sepultura. Era como que o máximo da derrota. Assim ficará a Igreja como derrotada diante dos poderes do mal, do mesmo modo como os cadáveres de suas testemunhas atirados na praça de Jerusalém.

João deixa bem claro que também Jerusalém é tomada aqui como figura simbólica, pois diz que ela se chama simbolicamente *"Sodoma"* ou *"Egito"*. Egito foi sempre lembrado como a terra da escravidão; Sodoma era a terra da imoralidade e da impiedade. Com outras palavras: a própria cidade de Jerusalém é aqui usada para significar o mundo todo inimigo de Deus. Mundo do mal que se alegra com sua aparente vitória:

> *"Homens de vários povos, tribos, línguas e nações verão seus cadáveres por três dias e meio, e não permitirão que sejam sepultados. Os habitantes da terra alegrar-se-ão por causa deles; felicitar-se-ão mutuamente e mandarão presentes uns aos outros: esses dois profetas eram incômodos para os habitantes da terra".* (11,9-10)

Também o Cristo, morto e sepultado, aparentemente tinha sido derrotado por seus inimigos. Sua ressurreição, porém, foi a manifestação do julgamento divino, o único que realmente importa. O mesmo acontecerá com as duas testemunhas, os dois profetas:

> *"Mas, depois de três dias e meio, um espírito de vida, vindo de Deus, entrou neles: eles se puseram de pé, e grande terror caiu sobre aqueles que os viam".* (11,11)

No profeta Ezequiel, capítulo trinta e sete, encontramos a cena que serviu de modelo para a descrição da ressurreição dos dois profetas. Ezequiel teve uma visão. Estava diante de um vale cheio de esqueletos descarnados. Em nome de Deus ele mandou que esses ossos se cobrissem novamente de carne, nervos e pele. E assim aconteceu. Depois novamente em nome de Deus, mandou que voltassem à vida. E aqueles mortos todos ressuscitaram, formando como que um imenso exército, devolvidos à vida pelo sopro de Deus.

Como o próprio Ezequiel explica, aquelas ossadas representavam o povo de Deus derrotado, sem nenhuma esperança de salvação. Também os dois profetas voltam à vida contra toda a esperança. E não apenas isso; são glorificados como o próprio Cristo:

> *"E ouviram uma forte voz do céu que lhes dizia: 'Subi aqui!' E subiram para o céu numa nuvem, enquanto seus inimigos os contemplavam. Naquela mesma hora, produziu-se um grande terremoto; caiu uma décima parte da cidade, e pereceram no terreno sete mil homens; os demais, aterrorizados, deram glória ao Deus do céu".* (11,12-13)

É fácil perceber como essa passagem lembra a ressurreição do próprio Cristo e sua elevação à glória do Pai. E é claro também o ensinamento. Os discípulos de Cristo, que tiverem participado dos sofrimentos de seu Mestre, vão participar também de sua vitória final. A Igreja não deve contar com uma vitória neste mundo, mas deve continuar firme sabendo que terá infalivelmente a vitória final.

Nesse ponto já não será necessário lembrar que o terremoto descrito por João não precisa ser tomado como real. É um modo de falar apocalíptico para anunciar a manifestação do poder e da justiça de Deus. O mesmo vale para o número de sete mil mortos e a destruição da décima parte da cidade.

Até o dia da vitória

Ainda estamos lembrados daquela águia que apareceu no capítulo oitavo. Voando no alto dos céus ela dizia em voz forte: *"Ai, ai, ai dos habitantes da terra, por causa dos restantes sons das trombetas, dos três anjos que ainda vão tocar!"* (8,13). É lembrado desses três ais que João escreve agora no versículo catorze do capítulo onze:

> *"Terminou, assim, o segundo 'ai', e logo sobrevém o terceiro!"* (11,14)

Depois dessas palavras, poderíamos esperar a apresentação de mais uma cena terrível como as outras que já encontramos. É, porém, um quadro bem diferente que se nos apresenta:

> *"O sétimo anjo tocou... Então, ressoaram no céu altas vozes que diziam: 'O império do mundo é de nosso Senhor e de seu Cristo, e ele reinará pelos séculos dos séculos!'"* (11,15)

Aí está. Em vez de uma cena de horror, encontramos o anúncio da realização final das promessas de Deus. O mal será definitivamente vencido: chegou o tempo da libertação e da paz, a plena realização do Reino de Deus.

Como já vimos tantas vezes, a chegada do *"dia do Senhor"* é ao mesmo tempo o dia da plena realização da salvação para os que creram e o dia da condenação para todos os que não acreditaram, para todos os que lutaram contra o amor de Deus. É por isso que João, ao anunciar a chegada final do Reino de Deus e do Cristo, diz que esse momento será a chegada do *"terceiro ai"*, do terceiro horror anunciado. Será o horror da derrota e da condenação, da infelicidade e da miséria mais completa.

Diante do anúncio da vitória final, todos os habitantes do céu, todos os que estão diante do trono de Deus, cantam um hino de louvor e de adoração:

> *"E os vinte e quatro anciãos, que têm assento em seus tronos diante de Deus, prostraram-se de rosto em terra e adoraram a Deus, dizendo: 'Graças te damos, Senhor, Deus todo-poderoso, o que é e o que era, porque assumiste a plenitude de teu poder e reinarás. Irritaram-se as nações, mas sobreveio tua ira e o tempo de julgar os mortos e de dar a recompensa a teus servidores, os profetas, e aos santos, aos que temem teu nome, pequenos e grandes; e de exterminar os exterminadores da terra!'"* (11,16-18)

Terminou o tempo das promessas, chegou a hora da presença, da felicidade no face a face:

> *"E abriu-se o templo de Deus no céu, e apareceu, em seu templo, a arca da aliança; e houve relâmpagos, vozes, trovões, terremotos e forte chuva de pedra".* (11,19)

Deus tinha feito uma aliança, um trato com o povo judeu. Como parte dessa aliança, o povo devia obedecer à lei de Deus, principalmente os Dez Mandamentos, escritos em placas de pedra. Para que o povo não se esquecesse de seu compromisso, Deus mandou que Moisés fizesse uma arca, uma caixa de madeira preciosa, e dentro guardasse as placas da lei (Êx 25,10-22). Essa *"arca da aliança"* acompanhou o povo até sua entrada na terra prometida. Depois, quando foi construído o templo, ela ficou guardada na parte mais sagrada, no lugar chamado *"santos dos santos"*, isto é, *"lugar santíssimo"*. Ninguém podia ver a arca. Era somente o chefe dos sacerdotes que podia aproximar-se dela, e assim mesmo só uma vez por ano. Essa arca da aliança, oculta aos olhos dos homens, era o símbolo da presença de Deus no meio de seu povo. Por isso é que devia ser tratada com tanto respeito, deixando bem marcada a distância infinita entre Deus e os homens. Era o símbolo das promessas de Deus: ficava oculta, porque os planos divinos ainda não tinham sido revelados completamente.

Mais tarde, com as invasões dos inimigos, a arca da aliança desapareceu. Uma tradição muito antiga dos judeus ensinava que ela iria reaparecer quando chegasse o reino de Deus.

Levando isso em conta, já podemos compreender melhor o texto de João: *"E abriu-se o templo de Deus no céu..."*

Para João, o céu, o trono de Deus, é como o templo de Jerusalém. Dizendo que foi aberto o templo que está no céu, está dizendo que finalmente chegou o tempo em que Deus vai manifestar claramente seus planos para nossa salvação. Isso é afirmado ainda mais fortemente quando ele escreve: *"E apareceu, em seu templo, a arca da aliança"*. Agora já não existem apenas promessas misteriosas; agora chegou a realização.

A distância entre Deus e o homem é infinita. Acontece, porém, que o Cristo, o filho de Deus, veio morar no meio de nós. Veio participar de nossa vida, fazendo-nos participar da sua. Já não há razão para a arca continuar inacessível.

Os relâmpagos, trovões, terremotos e granizos servem para marcar a grandiosidade desse *"dia do Senhor"*, dia de salvação e de julgamento.

Terminando este capítulo, vamos recolocar todo esse conjunto, que veio desde 8,1 até 11,19, diante das preocupações que angustiavam nossos irmãos do século primeiro. A resposta será retomada nos quadros seguintes que, no estilo característico de João, irão alargando, aprofundando e particularizando o tema em um desenvolvimento concêntrico.

VI

A MULHER E O DRAGÃO

Para bem nos situarmos, será bom relembrar, em síntese, a mensagem com a qual estamos a nos encontrar sempre de novo: Não devemos nos desesperar diante das dificuldades, por maiores que sejam. Não devemos perder a confiança. De fato, o Cristo venceu o mal e essa vitória é definitiva. Se o mal parece estar vencendo, é que ainda não se manifestou o domínio completo de Deus. Ainda não chegamos à manifestação completa de sua vitória. Estamos assistindo aos últimos esforços inúteis do mal.

Do capítulo 12 ao capítulo 14, versículo 5, encontramos uma nova e mais completa apresentação dessa mensagem. Teremos inicialmente a reafirmação da vitória divina conseguida uma vez por todas; depois, a dramática continuação da luta no plano do tempo em que vivemos; finalmente, um epílogo com a separação final depois do tempo das decisões.

A mulher e seu filho

"Em seguida, um grande sinal apareceu no céu: uma mulher revestida do sol, tendo a lua debaixo de seus pés e uma coroa de doze estrelas sobre a cabeça. Estava grávida e gritava de dores, aflita para dar à luz.
E apareceu um outro sinal no céu: um grande dragão, vermelho, com sete cabeças e dez chifres e nas cabeças sete diademas. Sua cauda varreu uma terça parte das estrelas do céu e as atirou à terra. E esse dragão parou diante da mulher que estava para dar à luz, a fim de,

quando ela desse à luz, devorar seu filho. Ora, ela deu à luz um filho, um menino, que fora destinado a reger todas as nações com cetro de ferro.
Mas seu filho foi arrebatado para junto de Deus e de seu trono. A mulher fugiu então para o deserto, onde tinha um lugar preparado por Deus, para aí ser sustentada por mil duzentos e sessenta dias." (12,1-6)

João escreve o que está vendo lá no alto, nos ares, não no céu-habitação de Deus. Descreve o aparecimento de dois *"sinais"*, de duas figuras extraordinárias que chamam a atenção e têm um significado... Duas figuras que, por sua beleza ou pelo horror que inspiram, vão simbolizar o combate entre o bem e o mal, entre Deus e o demônio.

A primeira figura é a de uma mulher, cheia de glória e de beleza, brilhante como o sol, vestida de azul e de esplendor. É uma figura de majestade tão grande, que a lua não passa de um apoio para seus pés. Está marcada pela esperança e pela vitória, pois que se apresenta coroada com doze brilhantes estrelas.

Quem é essa mulher?

Muitas vezes no AT o povo de Deus foi comparado com uma mulher (Is 50,1; 54,6; 62,4; 66,7; Jr 2,2; 3,1; Ez 16 e 23; Os 2,21-22); também em o NT (1Cor 11a), e em alguns livros apócrifos. Encontramos até passagens em que o povo de Deus é comparado com uma mulher que está para dar à luz. Temos por exemplo no profeta Miqueias (4,10): *"Filha de Sião, tu sofres e gemes como uma mulher com as dores de parto, porque agora irás sair da cidade e morar nos campos e serás levada até Babilônia"*. Ou, então, em Isaías (26,17): *"Como a mulher grávida se contorce e grita de dores quando chega a hora do parto, assim estamos nós diante de ti, Senhor!"*

Diante disso, podemos dizer que a mulher descrita por João simboliza o povo de Deus, o povo formado por todos os que aceitaram as promessas de Deus. É o povo de Deus do Antigo e do Novo Testamento. Povo que traz em si as marcas da esperança e do sofrimento. A mulher estava revestida do sol e coroada de estrelas: imagem do povo de Deus enriquecido com todos os bens, adornado de todas as promessas, revestido da glória dos filhos de Deus. Mas a mulher também estava em dores de parto, como o povo de Deus esteve sempre e sempre estará cercado de sofrimentos e tribulações. O Messias prometido deveria nascer do povo judeu; mas, até que chegasse esse momento, era preciso que fosse purificado de todas as suas misérias e infidelidades. Era preciso que tomasse consciência de toda a sua fraqueza, para que não pusesse em si mesmo a esperança de salvação. Até a vinda do Messias, a nação escolhida estaria em dores de parto. Destinada a trazer ao mundo o Salvador, seria inevitável que sofresse todo o peso da oposição humana e pagasse o preço de sua missão.

Praticamente se pode dizer o mesmo do novo povo de Deus, a Igreja do Cristo. Continuamente ansiando pela manifestação completa da força do Deus que salva.

Dizendo que a mulher vestida de sol representa o povo de Deus, estamos seguindo também uma tradição muito antiga da Igreja e, ao mesmo tempo, levamos em conta um outro dado importante: a continuidade entre a Igreja de agora e todas as gerações passadas. Não foi de repente que Deus resolveu salvar os homens; desde o começo esteve sempre presente sua força de salvação. Nesse sentido podemos dizer que a Igreja existiu desde os primeiros tempos da humanidade.

Na continuação do texto, João mostra-nos o porquê dessa contínua oposição enfrentada pelo povo de Deus:

> *"E apareceu um outro sinal no céu: um grande dragão, vermelho, com sete cabeças e dez chifres e nas cabeças sete diademas..."* (12,3-6)

Aí está: é do demônio, é do poder do mal que vêm todos os esforços dos inimigos de Cristo.

Seguindo um modo tradicional de falar, João apresenta-nos o demônio como uma serpente monstruosa, um dragão, símbolo da morte, do mal e da destruição. As sete cabeças do dragão mostram sua força e sua resistência; os chifres e as coroas simbolizam seu poder. Do mesmo modo podemos entender a frase: *"Sua cauda varreu uma terça parte das estrelas do céu"*. Isto é: apenas com sua cauda, sem empregar toda a sua força. Pode ser também que essa frase seja uma referência à vitória do mal quando conseguiu levar à revolta uma parte dos anjos, dos espíritos criados por Deus. Ou, talvez João esteja fazendo uma alusão ao poder do demônio que consegue seduzir até mesmo muitos cristãos, até mesmo pessoas de grande responsabilidade na Igreja.

Pois bem, é o demônio, o poder do mal, que está sempre tentando impedir a salvação que vem de Deus. É por isso que João diz que o dragão estava diante da mulher, pronto a devorar seu filho tão logo nascesse.

Que o filho da mulher, que representa o povo de Deus, seja o Messias não há dúvida. Basta ler a frase seguinte: *"Ela deu à luz um filho, um menino, que fora destinado a reger todas as nações com cetro de ferro. Mas, seu filho foi arrebatado para junto de Deus e de seu trono"* (12,5).

Essa passagem está repleta de lembranças do AT, que apresentava o Messias como um rei poderoso. A vara de ferro, que ele tem na mão como um cetro, é o símbolo do poder com o qual irá quebrar todas as resistências do mal. Ao poder do Cristo o demônio não pode resistir. Para tornar isso mais claro, João lembra-nos que o Salvador, esperado no meio de tantos sofrimentos, à primeira vista, é apenas um homem fraco, mas tem, na verdade, o poder de Deus. Nós não estamos abandonados. O poder decisivo está nas mãos do Cristo, ainda que isso nem sempre apareça claramente. O demônio pode fazer todas as ameaças. Não importa: o *"filho da mulher"* está à direita de Deus.

> *"A mulher fugiu então para o deserto, onde tinha um lugar preparado por Deus, para aí ser sustentada por mil duzentos e sessenta dias."* (12,6)

O deserto tinha um significado muito especial para o povo judeu. Era ao mesmo tempo lugar de sofrimentos, mas também de refúgio e de esperança. No livro do Êxodo, podemos ver quanto o povo sofreu naqueles anos em que vagou à procura da terra prometida. O deserto foi para eles o lugar da purificação, que deles exigia uma fé muito grande nas promessas de Deus que os fizera abandonar a tranquilidade do Egito.

O deserto era o lugar de refúgio. Podemos ler no 1º livro dos Macabeus (2,29-30), como o povo perseguido pelos reis da Síria fugiu: *"Então muitos que queriam se manter fiéis à justiça e à Lei, desceram para o deserto para ali morar. Levaram seus filhos, suas mulheres e seus rebanhos. Isso porque a desgraça se tinha abatido sobre eles".*

Depois que o povo tinha conquistado a terra prometida, depois que tinha organizado sua vida social, política e econômica, nem sempre se manteve fiel à lei de Deus. Deixou-se dominar pelo orgulho, pela injustiça, pela procura desenfreada da riqueza e do bem-estar. Nesse ambiente, os profetas e muitos que se mantinham fiéis ao Senhor, começaram a ter saudades da vida simples do povo no deserto, totalmente entregue nas mãos de Javé. É o que podemos ler no profeta Jeremias (2,2): *"Assim fala Javé: Eu me lembro do afeto de tua juventude, do amor de teus tempos de noivado, quando me acompanhavas pelo deserto... naquele tempo o povo de Israel era o bem sagrado de Deus..."*

Diante disso podemos compreender o que João nos quer ensinar quando diz que a mulher fugiu para o deserto. O povo de Deus, a Igreja, diante da perseguição vai procurar refúgio no deserto, isto é, vai entregar-se completamente nas mãos de Deus. Vai ser esse um tempo difícil, de renúncias e sacrifícios, mas será a oportunidade para que volte ao fervor dos primeiros tempos. Aliás, foi o que aconteceu através de toda a história. Quanto maiores foram as perseguições, tanto mais poderosamente cresceu a comunidade dos discípulos, tanto mais aprendeu a colocar sua esperança no poder de Deus. Os templos de paz, de tranquilidade sempre foram um perigo de amolecimento para a comunidade cristã.

Segundo João, no deserto a mulher será alimentada por Deus. É uma lembrança do maná do deserto. Já sabemos o que significam os mil duzentos e sessenta dias: três anos e meio ou três dias e meio. É um breve tempo de tribulações. A duração exata das perseguições, isso continua sendo sempre um segredo da sabedoria de Deus. Não compete a nós marcar o momento para a manifestação da libertação. O que devemos é continuar esperando contra toda a esperança.

O dragão já foi derrotado

> *"Houve uma batalha no céu: Miguel e seus anjos tiveram de lutar contra o dragão; o dragão e seus anjos travaram combate, mas não prevaleceram, e já não houve lugar no céu para eles. E foi precipitado o grande dragão, a serpente antiga, que se chama diabo ou satanás, o sedutor do mundo inteiro; ele foi precipitado na terra, e com ele seus anjos."* (12,7-9)

Os antigos imaginavam que a morada dos poderes do mal era nos abismos debaixo da terra e também nos ares, bem abaixo do trono de Deus e da morada dos anjos bons. É nessas regiões, nos ares, que João coloca a batalha que manifesta a vitória de Cristo sobre o mal e o pecado. Não está querendo nos ensinar nada sobre a condenação e a expulsão dos anjos revoltados. Pelo menos é o que podemos supor.

Podemos notar que o Messias glorificado, o filho da mulher vestida de sol, não enfrenta pessoalmente o dragão. Ele o faz, enviando o exército de seus anjos chefiado por Miguel. O nome desse anjo quer dizer *"Quem como Deus?"* É o mesmo anjo que aparece no livro de Daniel (10,21 e 12,1) como o protetor do povo judeu. Aqui o encontramos como o protetor do novo povo de Deus.

O dragão é identificado como *"a antiga serpente"*. É uma alusão ao livro do Gênesis (3,1-5), onde o demônio que leva o homem para o pecado aparece como uma serpente. Seu nome é Diabo ou Satanás. Em hebraico *"Satan"* significa *"Adversário"*, *"Inimigo"*, *"Acusador"*. Esse nome foi traduzido para o grego como *"Diabolos"*, que quer dizer *"Acusador"*, *"Caluniador"*, *"Perturbador"*.

O dragão e seus anjos foram lançados para a terra, para fora de sua morada nos ares. Isso mostra, ao mesmo tempo, sua derrota diante do Cristo e o poder que ainda lhes resta para continuarem criando dificuldades para os homens, até a derrota definitiva.

Todo o sentido dessa batalha é expresso claramente nas palavras de um canto de vitória:

> *"E eu ouvi no céu uma voz forte que dizia: 'Eis que chegou agora a salvação, o poder e o reino de nosso Deus, e a força de seu Cristo, porque foi precipitado o acusador de nossos irmãos, que os acusava dia e noite, diante de nosso Deus. Mas estes venceram-no por causa do sangue do Cordeiro e da palavra de seu testemunho, e desprezaram suas vidas até ao ponto de aceitarem a morte. Por isso alegrai-vos, ó céus, e todos que aí habitais; mas ai da terra e do mar, porque o diabo desceu para vós cheio de grande ira, sabendo que pouco tempo lhe resta'".* (12,10-12)

Podemos ter confiança. Foi vencido o poder do dragão. Começou o reinado do poder de Deus. É fácil perceber essa mensagem nas palavras desse canto celeste de vitória. Há, porém, uma frase que pode parecer estranha: *"Foi precipitado o acusador de nossos irmãos, que os acusava dia e noite diante de nosso Deus"*. Vamos, desse modo, lembrar que o dragão se chama *"Satanás"* ou *"Diabo"*. Já vimos que esses nomes em hebraico e em grego significam *"acusador", "caluniador"*. É levado por esse significado que João escreve como se o demônio, antes da vitória de Cristo, estivesse diante de Deus como um promotor de acusação, tentando conseguir a condenação dos homens, caluniando e tentando perturbar a execução do plano divino. Esse modo de imaginar o papel do demônio já aparece no livro de Jó (1,6) e no profeta Zacarias (3,1).

Dizendo que o demônio *"estava dia e noite acusando"*, João quer fazer-nos compreender que todos os esforços do dragão tinham por finalidade levar-nos para o mal e para a condenação. Todo esse esforço, porém, torna-se inútil: o demônio já não tem poder de nos prejudicar realmente. Podemos vencê-lo. A vitória está em nossas mãos porque o Cristo morreu para nos salvar. Basta que estejamos prontos a aceitar a morte antes de abandonar nossa fidelidade ao Senhor.

O canto de vitória e de esperança termina de uma maneira estranha, com o anúncio de um terceiro *"ai"* que se irá abater sobre o mundo: *"mas ai da terra e do mar, porque o diabo desceu para vós, cheio de grande ira, sabendo que pouco tempo lhe resta"* (12,12). Essa frase serve de introdução para a última parte do capítulo doze. Na primeira parte tivemos a apresentação dos protagonistas do drama: o Cristo, seu povo e o dragão. Na segunda, tivemos a vitória que dá começo ao reinado de Deus. Na terceira, encontramos a explicação para as dificuldades que a Igreja continua encontrando mesmo depois da vitória de Cristo.

O dragão vencido continua tentando

> *"E o dragão, quando viu que foi precipitado na terra, perseguiu a mulher que dera à luz o filho, o menino. Mas à mulher foram dadas duas asas da grande águia, a fim de voar para o deserto, para o lugar onde, longe da serpente, devia ser alimentada por um tempo, tempos e metade de um tempo."* (12,13-14)

Partindo dos elementos que já conhecemos, é fácil compreender o sentido dessa passagem. O poder do demônio foi vencido pelo poder de Cristo. Enquanto, porém, durar este tempo em que vivemos, o demônio procurará fazer todo mal que puder ao povo de Deus. Encontrará meios, mesmo se for preciso usar a força do império romano, ou de outros impérios humanos. Se, por um lado, Deus não permite que a Igreja seja vencida pela tempestade, mesmo assim ela, muitas vezes, terá de procurar refúgio no *"deserto"*, posta à margem da sociedade, sem poder influenciar diretamente nem na política, nem na economia, nem na vida social.

Para fugir para o deserto, a mulher recebeu as asas da grande águia. Poder voar é o modo mais rápido de fugir do inimigo. Há, porém, um outro motivo para João usar esse modo de falar. É que no livro do Êxodo (19,4), Deus assim fala ao povo: *"... Vistes como eu tratei os egípcios, como eu vos carreguei sobre as asas da águia e vos trouxe para mim..."* Certamente, João estava lembrando-se dessa passagem. Ou, então, de uma outra do profeta Isaías (40,31): *"Aqueles que esperam no Senhor terão suas forças renovadas, terão asas como as da águia"*. As asas, pois, que a mulher recebe para fugir do dragão, simbolizam a proteção que a Igreja receberá do poder de Deus.

João usa outra comparação para mostrar a sanha do inimigo contra o povo de Deus:

> *"A serpente lançou da boca como que um rio de água atrás da mulher, para que fosse arrebatada pela corrente. Mas a terra acudiu à mulher, abrindo a boca para engolir o rio que o dragão vomitara".* (12,15-16)

Muitas vezes no AT as tribulações são comparadas com um rio que se derrama sobre as pessoas que sofrem, como que a afogá-las. Aliás, nós mesmos costumamos dizer que estamos afogados de tristeza ou de trabalhos, não é mesmo? Pois bem, João fala como se o dragão tentasse um recurso desesperado para prejudicar a Igreja, como se estivesse recorrendo à força das águas que ninguém pode conter. A comparação era também sugerida pelas enxurradas que de vez em quando se formam no deserto, arrastando tudo que encontram. De nada, porém, adianta o esforço do dragão. O rio, a torrente que ele lança contra a mulher, desaparece na terra como as enxurradas desaparecem na areia do deserto.

Nem por isso o dragão descansa. Mesmo sem poder destruir o povo de Deus, vai continuar com seus ataques:

"E o dragão irritou-se contra a mulher, e foi fazer guerra ao resto de sua descendência, aos que guardam os mandamentos de Deus e dão testemunho de Jesus". (12,17)

Essa frase recoloca-nos exatamente no ambiente em que viviam os cristãos do primeiro século, cercados de perseguições e perigos. Se tanto sofriam, isso não significava que fossem vãs as promessas e garantias de vitória dadas pelo Cristo. E o mesmo se aplica a nós e a nosso tempo. Ainda vivemos num tempo em que a comunidade cristã e cada um dos fiéis devem, de certo modo, passar pelos mesmos combates enfrentados e vencidos pelo Senhor. Será bom lembrar aqui uma passagem do evangelho de João (16,20). Despedindo-se dos seus, diz Jesus: *"... chorareis e gemereis, ao passo que se alegrará o mundo. Vós estareis na tristeza; mas vossa tristeza se converterá em alegria..."* Mais adiante, no versículo 33, lemos: *"No mundo tereis aflições. Tende confiança, pois eu venci o mundo!"*

O capítulo doze termina com uma frase que pode parecer muito misteriosa:

"E ele (o dragão) se estabeleceu na areia do mar". (12,18)

Mas não há nenhum mistério. É simplesmente uma frase de transição para o que vem a seguir. Para continuar sua luta contra a *"mulher vestida de sol"* e seus filhos, o dragão vai recorrer à força e à maldade do império que ficava do outro lado do mar. Colocado na praia, o dragão como que chama dos abismos um novo monstro: Roma e seus loucos imperadores que queriam ser considerados como deuses.

VII

E SEU NÚMERO É 666

No capítulo doze, João falou de modo geral da luta do dragão contra a comunidade dos fiéis. Luta que sempre existiu e sempre existirá. Agora, no capítulo treze, vai mostrar como as situações difíceis do final do século primeiro nada mais são do que um episódio dessa mesma e incessante guerra.

Para a Igreja do século primeiro a luta movida pelo dragão toma a forma de perseguições e opressões impostas pelo império romano. Hoje, a mesma luta virá coberta por outras bandeiras.

João irá descrever a situação usando imagens e comparações tomadas do AT. Para ajudar a compreender melhor o que está acontecendo, usará uma técnica dramática, deixando bem claro que o mal procura apresentar-se com a aparência do bem, a mentira imita a verdade, a fraqueza tenta ser aceita como força igual ao poder de Deus. Redige um verdadeiro libelo de acusação contra o império opressor. Vê-se por isso obrigado a usar uma linguagem cifrada, incompreensível para os perseguidores, mas bastante clara para os cristãos.

Mesmo sem procurar ver nessas passagens uma profecia de acontecimentos futuros, é claro que dessa mensagem para os cristãos do ano 95, podemos tirar conclusões que nos ajudam a compreender os acontecimentos da história da Igreja no presente e no futuro.

O monstro que vem do mar

"Vi, então, levantar-se do mar uma fera que tinha dez chifres e sete cabeças; e, sobre os chifres, dez diademas; e, em suas cabeças, nomes blasfematórios. E a fera que eu vi era semelhante a um leopardo, as patas como as do urso, e as fauces como as do leão." (13,1-2a)

Imediatamente podemos notar que o monstro é como que um reflexo do dragão, que tinha sete cabeças e dez chifres. Isso já nos dá a entender que o monstro é a extensão do poder do dragão, é uma criatura sua. Mas, quem é esse monstro?

Segundo João, o monstro era uma mistura de leopardo, de urso e de leão, com sete cabeças e dez chifres. Essa descrição lembra os quatro monstros descritos pelo profeta Daniel (cap. 7). O monstro do Apocalipse é de certo modo a soma de todos eles. Segundo a explicação do próprio Daniel, seus monstros simbolizam o poder político e militar de vários reis que perseguem o povo de Deus. Aliás, já sabemos que a coroa é figura do poder dos reis; os chifres, figura da força dos exércitos. Tendo isso em conta, podemos dizer que o monstro descrito por João simboliza o poder de um grande império, bem organizado, cheio de força e de poder. É um monstro que vem do outro lado do mar para conquistar novas terras. Tudo isso, e mais o que sabemos da história do tempo em que foi escrito o Apocalipse, leva-nos a pensar que o monstro é uma figura do império romano. Seus imperadores faziam questão de serem tratados de *"Augusto"* (isto é: santo), *"Salvador"*, *"Filho de Deus"*, e outros títulos semelhantes. Mandavam ou permitiam que as cidades construíssem templos para adorar sua estátua. Certamente é isso que João quer lembrar quando nos diz que o monstro tinha uma blasfêmia escrita em cada uma de suas cabeças.

A continuação do texto vai apresentar-nos o monstro como uma tentativa de imitação da própria pessoa do Cristo. Para facilitar a comparação, vamos colocar à esquerda o texto do capítulo e à direita outras passagens.

"O dragão deu-lhe a sua força, seu trono e grande poder". (13,2b)	*"Uma de suas cabeças estava como que ferida de morte, mas essa ferida de morte fora curada".* (13,3a)
"Mas seu filho (da mulher vestida de sol) foi arrebatado para junto de Deus e de seu trono". (12,5b)	*"E eu vi no meio do trono... um cordeiro imolado que se mantinha de pé".* (5,6)

A cabeça do monstro que parecia morta, mas fora curada, é como que uma ridícula imitação da morte e da ressurreição de Jesus. É como se o grande império fosse mais forte do que a própria morte. Parecia tão forte que conquistou a admiração de toda a terra:

> *"Toda a terra admirou a fera e adorou o dragão, porque dera esse poder à fera, e adoraram igualmente a fera, dizendo: 'Quem é semelhante à fera e quem poderá lutar com ela?'"* (13,3-4)

Resumindo: João mostra que o império romano era uma personificação do poder do mal. Diante de tanta grandeza e de tanto poder, não era de se admirar que muitos acabassem adorando o imperador como se fosse um deus. Isso bem que pode servir de lição também para nós. Diante de todo o progresso que vemos, diante de tantas riquezas e facilidades de nosso mundo atual, não vamos acabar pensando que nisso tudo podemos encontrar a felicidade e a salvação. Nem vamos admirar-nos se tantas vezes o poder político e a força econômica são usados contra o bem, a justiça, contra os seguidores do Evangelho, afinal.

Logo a seguir encontramos a descrição da atividade do monstro:

> *"E foi-lhe dada uma boca que proferia arrogâncias e blasfêmias, e foi lhe dado o poder de agir por quarenta e dois meses".* (13,5)

É a Deus que pertence o domínio de tudo; é sua providência e sua sabedoria que dirigem os acontecimentos. Acontece que a sabedoria divina é maior que a nossa, e sua providência tem caminhos que nos parecem muitos estranhos. A sabedoria divina é justamente mais admirável na medida em que deixa lugar mesmo para as tentativas dos maus. Deus pode permitir a ação do monstro, pode permitir que tente seduzir os homens. Mesmo isso acabará servindo para a realização completa de seus planos de salvação.

Faz parte da fé aceitar que os caminhos de Deus não sejam os nossos, e continuar confiando nele, mesmo quando não conseguimos ver para onde esses caminhos nos levam.

Voltando um pouco atrás, vimos que a pregação de duas testemunhas devia durar três anos e meio; a mulher vestida de sol deveria ficar no deserto três anos e meio. Agora João diz que o monstro poderá agir durante quarenta e dois meses, isto é, três anos e meio. Isso nos faz compreender que João está descrevendo sempre o mesmo tempo de tribulações, apresentando sob vários aspectos as mesmas tentativas do poder do mal. Você já sabe que o prazo de três anos e meio indica, tradicionalmente, um período curto de perseguições e dificuldades para o povo de Deus. Dizendo que o monstro recebeu autoridade para agir durante três anos e meio, o autor já deixa claro de quem será a vitória final.

> *"Abriu, pois, a boca para blasfemar contra Deus, contra seu nome, seu tabernáculo e os habitantes do céu."* (13,6)

O monstro volta-se em primeiro lugar contra Deus, contra tudo que é sagrado. Sua atitude é de revolta e de desafio. Consultando a história, podemos ter ideia da impiedade dos imperadores romanos. Chegaram a começar assim alguns de seus decretos: *"Nosso Senhor e nosso Deus, o imperador, manda que..."* A mãe de Domiciano exigia que todos a tratassem como *"mãe de Deus e rainha do céu"*. É claro que faziam isso simplesmente por interesse político. Queriam usar a força da religião para dominar mais completamente o povo romano e os outros povos conquistados. Quem se recusava a adorar o imperador era considerado como mau cidadão, traidor, revolucionário, subversivo. Se a maioria dos homens podia aceitar essa tirania, os cristãos não a podiam de modo algum tolerar.

"E foi-lhe dado, também, o poder de fazer guerra aos santos, e vencê-los. E foi-lhe dado poder sobre toda tribo, povo, língua e nação. E será adorada por todos os habitantes da terra, cujos nomes não estão escritos desde a origem do mundo no livro da vida do Cordeiro imolado." (13,7-8)

O dragão recebeu autoridade para vencer o povo de Deus. Será, porém, uma vitória parcial. Poderá conseguir e matar os cristãos, poderá fazê-los desprezados e humilhados. Aí termina sua vitória, porque não poderá roubar-lhes nem a fé, nem a esperança, nem o amor. Talvez aqui a melhor explicação sejam aquelas palavras de Jesus: *"Não tenhais medo daqueles que matam o corpo, mas não podem matar a alma"* (Mt 10,28).

O dragão será adorado por todos os habitantes da terra. Já sabemos que, na linguagem do Apocalipse, habitantes da terra são os que não acreditam em Jesus, todos aqueles que, segundo a previsão divina não vão aceitar a fé. Se perguntados por que uns aceitam e outros não aceitam, por que uns estão desde a criação do mundo inscritos no *"livro da vida"* e outros não, estamos diante de um mistério. Aí termina toda a sabedoria e toda a compreensão humana.

João diz que o *"livro da vida"* pertence ao Cordeiro que foi imolado. Isso porque toda a nossa esperança de salvação vem do Cristo, de sua vida, de sua morte, de sua ressurreição. Se acreditamos nele, se estamos inscritos entre os seus escolhidos, isso não é mérito nosso. É dádiva de seu amor.

Os cristãos do ano 95 não viam nas palavras do capítulo treze o anúncio das tribulações de um futuro longínquo. Pelo contrário. Para eles todas essas palavras tinham um sentido muito concreto e muito próximo. Estavam diante da descrição do que estavam vivendo. Muitos traziam em seu coração e em seu próprio corpo as marcas deixadas pela tirania romana. Não estavam procurando anúncios do que viria: procuravam palavras que lhe dessem coragem para viver em um mundo que parecia não ter lugar para eles. Justamente por isso é que nos podem parecer estranhas as afirmações dos versículos seguintes. A dificuldade começa com a própria tradução do texto original. Aqui vamos escolher uma das traduções possíveis:

"Quem tem ouvidos, ouça: Quem está destinado à prisão, vá para a prisão. Quem mata com a espada, com toda certeza será morto pela espada. Aqui está a perseverança e a fidelidade dos santos". (13,9-10)

A própria introdução diz que estamos diante de palavras misteriosas: "*Quem tem ouvidos para ouvir, ouça; quem pode compreender, compreenda*".

"*Quem está destinado à prisão, vá para a prisão.*" Nessa frase podemos descobrir dois ensinamentos. Em primeiro lugar, o cristão deve saber que está nas mãos de Deus. Deve ter confiança em seu amor e em sua providência. Diante da possibilidade da escravidão nos trabalhos forçados, diante do perigo das prisões, da expulsão, da opressão dos que têm força, o fiel deve ver em tudo isso seu caminho para a felicidade e a vitória. Deve saber que está tomando parte nos sofrimentos do Cristo, está sendo mergulhado (batizado) na morte para poder conquistar a vida verdadeira que ninguém lhe poderá jamais roubar. Deus não exige que gostemos do sofrimento. Não exige que sejamos heróis que não tremem diante da prisão e da morte. Ele exige apenas que, apesar de todo o nosso medo, de todas as nossas lágrimas, tenhamos confiança nele.

Na frase de João podemos encontrar ainda um outro ensinamento: Diante das perseguições, diante da opressão, da cadeia e da morte o cristão deve saber que sua força não está no uso da violência. Não deve combater a força com a força, a injustiça com a injustiça, o ódio com o ódio. Deve acreditar que o bem, a justiça e o amor vencem por si mesmos. Sendo bom, sendo justo, sendo irmão, é que o discípulo de Cristo vai transformar o mundo.

"*Quem mata com a espada, com toda certeza será morto pela espada.*" O poder da justiça e da força pode parecer muito grande. Mas o cristão sabe que a injustiça e a opressão já trazem em si sua própria derrota: acabarão caindo com seu próprio peso. Não duram para sempre. O império romano acabou-se. Depois dele vieram outros que também já passaram. E passaram tanto que, para saber que existiram, é preciso estudar a História.

Na certeza da vitória final de Cristo, encontramos uma das características do povo de Deus. Ou, como diz o Apocalipse, "*Aqui está a perseverança e a fidelidade dos santos*" (13,10).

O monstro que vem da terra

Na história da Igreja, o monstro surgido do mar identifica-se com todas as potências políticas e econômicas que se apresentam como o valor mais alto para os homens, exigindo fidelidade absoluta. Acontece, porém, que o simples poder da força bruta não é suficiente para conquistar os homens. Pode lançar na prisão, pode torturar, pode até mesmo matar. Isso não basta para dobrar as inteligências e as vontades. É por isso que procura sempre o apoio de uma ideia que justifique a tirania e a torne aceitável. Precisa usar sempre a colaboração de algumas inteligências hábeis na manipulação das opiniões dos sentimentos, da credulidade.

Justamente por isso, depois de descrever o primeiro monstro e sua arrogância, João introduz um segundo monstro que vai ser o apóstolo propagandista do primeiro. É um monstro que vem da terra, não é um invasor como o império romano. Identifica-se com tendências e pessoas ali do próprio ambiente da Ásia Menor. Vejamos o texto:

> *"Vi, então, outra fera subir da terra; esta tinha dois chifres semelhantes aos de cordeiro, mas falava como um dragão. Ela exercia todo o poder da primeira fera, em sua presença, e fez com que a terra e seus habitantes adorassem a primeira fera, cuja ferida de morte havia sido curada".* (13,11-12)

Já notamos que o monstro que vem do mar é uma paródia, uma imitação ridícula do próprio Cristo morto e ressuscitado. Agora encontramos um outro traço da paródia: também o monstro tem seu profeta, sua testemunha, semelhante às duas testemunhas que encontramos no capítulo onze. Esse *"profeta"* é o monstro que surge da terra.

Descrevendo os falsos profetas, disse o Cristo que eles se apresentam camuflados com pele de cordeiro, mas por dentro são lobos ferozes (Mt 7,15). João dá praticamente a mesma descrição. O monstro que surge da terra tem dois chifres semelhantes aos de um cordeiro, chifres que parecem inofensivos. Mas, sua voz e suas palavras são as mesmas do dragão. O falso profeta revela-se tão logo começa a falar, porque só anuncia falsidade.

Quem é esse falso profeta que tenta seduzir os homens para que aceitem o monstro vindo do mar? Se levarmos em conta o conjunto do Apocalipse, podemos dizer que João está falando dos sacerdotes pagãos principalmente da Ásia Menor. Levados por uma ideia religiosa, que facilmente aceitava mistura com todas as doutrinas, esses sacerdotes não tinham dificuldades em promover a adoração do imperador romano. Tanto mais que essa promoção favorecia seus próprios interesses. Podiam conseguir maiores lucros materiais e também uma influência maior na política. Recorriam por isso a todos os meios a seu alcance, como podemos ver na continuação do texto:

> *"Realizou grandes prodígios e até fez descer fogo do céu sobre a terra, à vista dos homens. E seduziu os habitantes da terra com os prodígios que lhe era dado fazer na presença da fera, persuadindo os habitantes da terra a fazerem uma imagem da fera que, ferida de morte, sobreviveu".* (13,13-14)

Não precisamos imaginar que esses prodígios fossem milagres verdadeiros, que exigissem uma força mais do que humana. A esperteza humana sempre soube inventar truques maravilhosos. E mesmo sem falar em truques, sabemos que há fatos aparentemente extraordinários que têm uma explicação perfeitamente natural. Seja lá como for, tudo isso servia para propagar a adoração do imperador e de Roma.

> *"Foi-lhe dado, também, comunicar com sopro de vida à imagem da fera, de modo que essa imagem se pusesse a falar, e fizesse com que fosse morto todo aquele que não adorasse a imagem da fera."* (13,15)

Ainda hoje em dia existem estátuas do tempo antigo, preparadas para esses truques. Hoje em dia, com todos os meios modernos da eletrônica é muito mais fácil fazer uma estátua falar ou até mesmo matar. Os antigos tinham de usar meios mais primitivos. Uma tubulação bem colocada podia dar a impressão de que a estátua do imperador ou qualquer outro ídolo, estivesse falando ou soltando fogo e fumaça pela boca.

> *"E conseguiu que todos, pequenos e grandes, ricos e pobres, livres e escravos, tivessem um sinal na mão direita ou na fronte, e que ninguém pudesse comprar ou vender se não tivesse o sinal, o nome da fera, ou o número de seu nome."* (13,16-17)

No caso de alguns não se deixarem seduzir pelos prodígios e pelas belas palavras, os sacerdotes do imperador tentavam dobrá-los apelando para outros tipos de pressão, como a econômica. Os que não adoravam o monstro nem faziam sua *"marca"*, não podiam nem comprar nem vender, como diz João.

No capítulo sétimo, lemos que os servos de Deus receberam uma marca especial, como que o carimbo de Deus. Aqui no capítulo treze encontramos a marca, o carimbo do monstro. É claro que estamos diante de uma linguagem figurada, e não de uma marca visível e material.

E seu número é 666

Agora estamos diante de uma das passagens mais especuladas do Apocalipse. Talvez, poucos trechos da Escritura Sagrada tenham dado tantas oportunidades para a imaginação e para os cálculos como este.

> *"É aqui que é necessária sabedoria! Quem tiver inteligência, calcule o número da fera, porque é o número de um homem, e esse número é seiscentos e sessenta e seis."* (13,18)

Claramente estamos diante de uma adivinhação. É preciso *"sabedoria"*, como o diz João, para decifrar o nome que está escondido sob o número. Qual seria esse nome que indicava mais claramente para os leitores a identidade do primeiro monstro?

Antes de mais nada é bom lembrar que alguns exemplares antigos do Apocalipse, em vez do número 666 traziam 616. Parece, porém, que o número escrito por João foi mesmo 666.

Para descobrir o nome do monstro, foram feitos muitos e muitos cálculos.

Os antigos não usavam algarismos como nós usamos. Usavam letras, cada uma com um valor, como os algarismos romanos que todos conhecemos. Para descobrir o nome escondido pelo número, alguns fizeram o cálculo usando as letras gregas, é possível apontar vários nomes sempre com a mesma soma de 666 ou 616. Os nomes mais apresentados foram: Nero, Tito, Trajano, Caio César (mais conhecido como Calígula), Domiciano, todos eles imperadores romanos. Segundo o interesse dos intérpretes, ainda outras personalidades tiveram seu nome ligado ao número do monstro: Napoleão, Hitler, ou até mesmo os papas.

Talvez para os cristãos do tempo de João tivesse sido possível decifrar a charada, se é que de fato ele estava referindo-se a uma pessoa concreta. Para nós, parece que a questão é perfeitamente inútil. Resta, porém, uma possibilidade de interpretação para o número 666. Toda a mensagem do Apocalipse deixa claro que os esforços do poder do mal jamais poderão vencer o povo de Deus. Serão inúteis todos os esforços do dragão. Para indicar isso mais uma vez, usando agora uma linguagem cifrada, João diz que o monstro tem um nome correspondente ao número 666. Aí temos o algarismo *"6"* repetido três vezes. O monstro é *"o 6 em pessoa"*, *"o 6 por excelência"*. O 6 que, por mais que se esforce, nunca chega a ser *"7"*. Sete é o número da perfeição, da força, da totalidade, do bem, da vitória. Dizendo que o número do monstro é 666, João lembra que o dragão é afinal um ser humano, frágil, que nunca poderá vencer os fiéis de Cristo.

VIII

OS ELEITOS DO CORDEIRO

Desde o capítulo doze tivemos uma série horripilante de visões: o dragão que ameaçava a mulher vestida de sol, o monstro que se levantava do mar, o monstro que vinha da terra. Repetindo o mesmo esquema já anteriormente usado, João introduz agora um contraste, uma cena de glória e de esperança.

> *"Olhei e vi ainda: o Cordeiro estava de pé no monte Sião, e com ele cento e quarenta e quatro mil, que traziam escritos na fronte o nome dele e o nome de seu Pai."* (14,1)

Com essa visão estamos novamente sendo projetados para o futuro, para o tempo da vitória final. O monte Sião, em Jerusalém, era o lugar onde estava construído o templo. É usado aqui como o lugar da manifestação da glória e da vitória do Cordeiro e de seu Pai.

No final do capítulo doze, vimos que o dragão estava sobre as areias do mar: areias que não podem garantir a estabilidade nem a firmeza. O Cordeiro, pelo contrário, está colocado em lugar firme, no alto de um monte: símbolo da força de Deus que lhe garante a vitória e a de seus seguidores.

No capítulo sete, versículo quarto, vimos que os fiéis da Igreja foram marcados com o sinal, o selo de Deus, do mesmo modo como foram marcados os seguidores do Monstro (13,16). O número simbólico dos marcados do capítulo sete, era de 144 mil. Agora os reencontramos rodeando o Cordeiro vitorioso. Não vamos esquecer que 144 mil (12x12x1.000) é um número simbólico que indica a totalidade dos fiéis do Cristo; não é um número a ser tomado matematicamente.

Também agora João compara o céu com o templo onde se realiza um culto majestoso:

> *"E ouvi uma voz vinda do céu. Era como o rumor de muitas águas e como o estrondo de grande trovão. Essa voz que eu ouvi era ainda semelhante ao som de cítaras. Cantavam um cântico novo diante do trono, diante dos quatro seres vivos e dos anciãos; e ninguém podia aprender o cântico, a não ser aqueles cento e quarenta e quatro mil que foram resgatados na terra".* (14,2-3)

Estamos diante de uma descrição da felicidade da vitória dos justos. Já conhecemos praticamente todos os elementos usados. Só os que foram salvos podem cantar o cântico novo: só os salvos podem chegar ao perfeito conhecimento de Deus, à perfeita felicidade trazida por sua posse.

Na continuação do texto João diz mais claramente quem são esses salvos que cantam:

> *"Estes são os que não se contaminam com mulheres, pois são castos. São eles que acompanham o Cordeiro por onde quer que vá, resgatados dentre os homens, como primícias para Deus e para o Cordeiro".* (14,4)

Para compreendermos essa passagem é preciso lembrar um modo de falar do Antigo Testamento. Os profetas, muitas vezes, comparam a infidelidade a Deus, a adoração dos ídolos, com a prostituição ou com a infidelidade conjugal. Isso porque Deus era apresentado como o verdadeiro esposo do povo escolhido (cf. por exemplo Os 1,2). Aqui João nos diz que acompanhando o Cordeiro estão todos aqueles que não se deixaram iludir pela adoração de falsos deuses, pela aceitação de falsos valores. Foram fiéis e por isso podem agora acompanhar o Cordeiro para onde quer que ele vá, isto é, podem participar de sua vitória e de sua glorificação.

Os antigos judeus deviam oferecer a Deus os primeiros frutos de suas colheitas, as primeiras crias dos animais. Esses primeiros frutos eram chamados de *"primícias"*. Aproveitando isso para uma comparação, João chama os eleitos de *"primícias"* da humanidade oferecidas a Deus.

"Em sua boca não se achou mentira, pois são irrepreensíveis." (14,5)

Com o Cristo estão os 144 mil, todos aqueles que, ajudados por sua graça, fortalecidos por sua força, conseguiram vencer o pecado e são totalmente de Deus. Eles não se entregaram à mentira. *"Mentira"*, era outro modo de os antigos profetas chamar a idolatria. Os deuses falsos não valem nada. Só Deus é a verdade, a realidade.

IX

AS SETE TAÇAS DA IRA DIVINA

A mensagem de consolação contida na visão dos justos em torno do Cordeiro é completada pelo anúncio trazido por três anjos. O primeiro convida os cristãos à fidelidade; o segundo já dá como certa a vitória; o terceiro anuncia o castigo de todos os adoradores do Monstro. O julgamento anunciado executa-se no quadro terrível das sete taças derramadas.

Celebração celeste do juízo e da vitória

> *"Vi, depois outro anjo que voava no mais alto do céu, tendo um evangelho eterno para anunciar aos habitantes da terra, e a toda nação, tribo, língua e povo..."* (14,6)

Como a águia que vimos no capítulo oitavo, o anjo voa no mais alto do céu para que todos possam ouvir sua mensagem. Ele traz um *"evangelho eterno"*. Evangelho quer dizer *"anúncio de uma boa notícia"*; é eterno porque o plano de salvação feito por Deus é uma decisão que não muda, que não poderá ser impedida por nada nem por ninguém.

> *"... e clamava em alta voz: 'Temei a Deus e dai-lhe glória, porque chegou a hora de seu julgamento. Adorai aquele que fez o céu e a terra, o mar, e as fontes das águas!'"* (14,7)

A mensagem é bastante clara. Vamos notar apenas que, segundo a linguagem bíblica, *"temer a Deus"* não quer dizer ter medo dele. A expressão engloba todos os deveres do homem para com Deus: respeito, adoração, obediência, amor; tudo que nós colocamos praticamente numa só palavra: *"religião"*.

> *"E um outro anjo, um segundo, seguiu-o dizendo: 'Caiu, caiu a grande Babilônia, que do vinho de sua desenfreada prostituição deu de beber a todas as nações!'"* (14,8)

No Antigo Testamento, muitas vezes a cidade de Babilônia é tomada como símbolo de todos os inimigos do povo de Deus. Era chamada de *"Babilônia, a grande"*, porque era a cidade do poder, da riqueza, da cultura, do orgulho e da grandeza humana. Aqui, como depois no capítulo dezoito, Babilônia é o nome cifrado para cidade de Roma, capital do mundo no tempo de João.

É interessante notar que o anjo não diz: *"Vai cair. Vai cair Babilônia"*. Pelo contrário. Fala da queda de Babilônia como se já fosse um fato acontecido, que não pode voltar atrás. Era exatamente para dar aos cristãos a certeza da derrota dos inimigos. A derrota de Roma é tão certa como se já tivesse acontecido. Aliás, foi assim também que o profeta Isaías falou da queda da antiga Babilônia (21,9): *"Eis que chega um tropel de gente. Chegam cavaleiros de dois em dois. Gritam e dizem: 'Caiu, caiu a Babilônia! Todas as estátuas de seus deuses estão arrebentadas pelo chão'. Ó meu povo, espezinhado e esmagado como o trigo, eu te anuncio o que ouvi de Javé nosso Deus!"*

A influência da Babilônia, ou melhor, do império romano é descrita também em linguagem figurada: *"Do vinho de sua desenfreada prostituição deu de beber a todas as nações"*. Roma, com seu poder seduziu grande parte da humanidade. Como que a embriagou com o vinho forte da imoralidade, do adultério, da idolatria.

> *"E um outro anjo, um terceiro, seguiu-os dizendo em alta voz: 'Se alguém adorar a fera e sua imagem e se receber seu sinal na fronte ou na mão, há de beber também o vinho da cólera divina, o vinho puro posto na copa de sua ira; será atormentado pelo fogo e pelo enxofre diante de seus santos anjos e do Cordeiro.*
> *E a fumaça de seu tormento subirá pelos séculos dos séculos.*
> *Não terão descanso algum, dia e noite, esses que adoram a fera e a imagem, e todo aquele que acaso tenha recebido o sinal de seu nome'."* (14,9-11)

O castigo dos adoradores do Monstro é apresentado sob duas comparações: a taça da ira e o fogo eterno. A ira de Deus é comparada com uma taça de vinho puro. Sabemos que os antigos bebiam o vinho misturado com água, porque puro era muito forte. Pois bem, os condenados terão de provar a ira da justiça divina com toda a sua força, sem nenhuma mistura de misericórdia. Ficarão como que bêbados de dor e de desespero.

Seu castigo será terrível, como se estivessem mergulhados em um mar de enxofre em fogo.

Com isso, temos novamente o anúncio do *"dia do Senhor"*. Dia de justiça e salvação para os fiéis e, ao mesmo tempo, dia de justiça e desgraça para os maus. Talvez seja também o momento de lembrar que, quem não acredita em um castigo eterno, não está levando a sério a promessa da salvação. É impossível acreditar na recompensa do céu sem acreditar também na realidade do inferno.

Anunciados o julgamento e a vitória, encontramos agora um convite à firmeza e à perseverança apesar de tudo:

> *"Nisto é que se mostra a paciência dos santos, dos que guardam os mandamentos de Deus e a fé em Jesus".* (14,12)

O próprio texto deixa claro que são os *"santos"*: são os cristãos que levam a sério seus compromissos, depois de terem sido escolhidos por Deus e separados, postos à parte. A possibilidade da condenação é um aviso contínuo para que estejamos sempre atentos, que não nos deixemos iludir por falsas promessas nem intimidar por ameaças.

João, porém, acrescenta um motivo mais forte ainda: a recompensa, a felicidade completa que Deus nos oferece:

> *"E ouvi uma voz do céu, que dizia: 'Escreve: Felizes os mortos que morrem no Senhor. Sim, diz o Espírito, que descansem de seus trabalhos, pois suas obras os seguem'".* (14,13)

Uma das grandes expectativas dos primeiros cristãos era a manifestação final do Cristo glorioso, de cuja vitória todos esperavam participar. Pois bem, os que morreram em Cristo, na fidelidade a ele, já estão de posse desde agora da vitória, desde agora recebem a felicidade e a paz. Para eles a morte – seja a morte natural, seja a morte violenta na mão dos inimigos – não é a derrota. Muito pelo contrário, é o começo de uma vida mais verdadeira, sem as tristezas, dificuldades e limitações que agora nos prendem. É o começo do descanso depois de uma vida de lutas e trabalhos. É a volta para a casa paterna. É o começo da recompensa. Todos os trabalhos, todas as batalhas terminaram, mas não foram inúteis; foram provas de amor que recebem como recompensa o próprio Deus.

A partir do versículo oitavo ouvimos a voz de dois anjos anunciando a execução do julgamento divino sobre os adoradores do monstro e perseguidores dos cristãos. Esse anúncio é como que a resposta de Deus a um pedido de justiça que encontramos no capítulo sexto: *"E quando (o Cordeiro) abriu o quinto selo, vi debaixo do altar as almas dos imolados por causa da palavra de Deus e por causa do testemunho que deram; e clamavam em alta voz, dizendo: 'Até quando, ó Soberano, santo e verdadeiro, deixarás de julgar e vingar nosso sangue contra os habitantes da terra?'"* (6,9-10).

Agora, no capítulo catorze, encontramos a celebração antecipada desse julgamento e dessa vingança. João vai usar duas comparações para transmitir a mesma ideia: o julgamento será como a colheita das uvas maduras que vão ser esmagadas. Vamos ver a primeira comparação:

> *"Olhei e vi ainda: Uma nuvem branca e alguém sobre ela sentado, semelhante a um filho de homem, tendo na cabeça uma coroa de ouro e possuindo na mão uma foice afiada.*
> *Um outro anjo saiu do templo, gritando em voz alta para aquele que estava sentado na nuvem: 'Lança tua foice e ceifa, porque é chegada a hora de ceifar, pois está madura a messe da terra'.*
> *E o que estava sentado na nuvem lançou a foice à terra e a terra foi ceifada".* (14,14-16)

Não é a primeira vez que encontramos na Bíblia a colheita do trigo como figura para descrever o julgamento. Para lembrar só uma passagem, veja Mateus 13,24-30 e 34-43. Ali está a parábola da erva má, do joio, que cresce no meio do trigo. O joio vai ficar até a colheita, quando então será cortado e queimado. No versículo 39, o próprio Jesus explica a comparação: *"A colheita é o fim dos tempos... O Filho do homem mandará seus anjos e eles vão arrancar de seu Reino todos os que fazem as pessoas pecarem, e todos os que praticam o mal. E depois vão jogá-los na fornalha de fogo. Aí vão chorar e ranger os dentes".*

Logo a seguir João apresenta a segunda comparação:

"Depois saiu do templo que está no céu um outro anjo, que também tinha uma foice afiada. E um outro anjo, aquele que tem poder sobre o fogo, saiu do altar, e bradou em alta voz para aquele que tinha a foice afiada: 'Lança a foice afiada e colhe os cachos da vinha da terra, porque suas uvas já estão maduras'.
O anjo lançou sua foice à terra, e colheu a vinha da terra, e atirou os cachos no grande lagar da ira de Deus. O lagar foi pisado fora da cidade, e do lagar saiu sangue que atingiu até os freios dos cavalos, numa distância de mil e seiscentos estádios". (14,17-20)

Lagar era um tanque onde as uvas eram esmagadas. Assim serão esmagados os inimigos de Cristo e de seus seguidores. A derrota será tão grande, como se o sangue dos esmagados fosse um verdadeiro rio, com águas chegando à altura do freio dos cavalos. A enchente de sangue vai-se estender por *"mil e seiscentos estádios"*. Isso quer dizer que vai tomar conta da terra. (Como já sabemos, o *"4"* é o número da terra. Quarenta é *"a terra multiplicada por dez"*. Quarenta vezes quarenta nos dá mil e seiscentos, a totalidade mais completa da terra!)

Acontece o julgamento: salvação e condenação

Mais uma vez estamos diante da descrição do drama final. Como foram abertos sete selos, como soaram as sete trombetas, sete taças de ira serão derramadas sobre a terra:

"Depois, vi no céu um outro sinal, grande e maravilhoso: sete anjos que tinham os sete últimos flagelos, porque por eles é que se deve consumar a ira de Deus". (15,1)

Como que para mostrar que a justiça de Deus é a outra face de seu amor, João apresenta-nos, em uma visão inicial, mais um canto de vitória dos que apesar de tudo souberam manter sua fidelidade. Ao ler essa passagem, vamos relembrar a cena do livro do Êxodo (14 e 15). O povo judeu tinha abandonado o Egito. Perseguido pelos soldados do faraó, encontrou a salvação, atravessando o Mar Vermelho. Vendo-se a salvo, canta um hino de agradecimento e de vitória. É o quadro usado por João para descrever a vitória dos fiéis de Cristo:

> *"E vi, também, como que um mar de vidro, misturado com fogo: os vencedores da fera, de sua imagem e do número de seu nome conservavam-se de pé sobre o mar de vidro com as cítaras de Deus. Cantavam o cântico de Moisés, o servidor de Deus, e o cântico do Cordeiro dizendo..."* (15,2-3)

No capítulo quarto, versículo sexto, descrevendo o céu, João dizia: *"Havia ainda diante do trono como que um mar de vidro, semelhante ao cristal..."* A mesma ideia é agora reaproveitada. O mar de vidro misturado ao fogo dá ideia do esplendor da nova pátria conquistada pelos seguidores fiéis do Cristo, e, ao mesmo tempo, lembra o grande mar da tribulação que atravessaram, ajudados por Deus. Agora, de pé, podem fazer soar as cítaras de Deus, isto é, podem cantar o hino final de vitória e gratidão.

Esse hino que João nos apresenta a seguir é como que um mosaico composto com fragmentos do Antigo Testamento, principalmente do livro do Êxodo e dos Salmos. Bem que mais vezes poderíamos aproveitar dessa passagem do Apocalipse, quando quisermos louvar e agradecer a Deus:

> *"Grandes e maravilhosas são tuas obras, Senhor, Deus todo-poderoso! Justos e verdadeiros são teus caminhos, ó Rei das nações.*
> *Quem não temerá, Senhor, e não glorificará teu nome?*
> *Porque só tu és santo, e porque todas as nações virão prostrar-se diante de ti, pois teus atos de justiça se tornaram manifestos".* (15,3b-4)

"...Pois teus atos de justiça se tornaram manifestos": Essa frase pode ser considerada como um resumo da mensagem do Apocalipse. Do que já vimos e do que ainda temos pela frente.

Já estamos acostumados com a linguagem de João que tantas vezes comparou a habitação de Deus no céu com o templo de Jerusalém ou a tenda que no deserto servia para as manifestações divinas. Também agora mostra-nos ele o céu *aberto*: vai começar a manifestação final de Deus:

> *"Depois disso, eu vi abrir-se no céu o templo da tenda do testemunho".* (15,5)

A tenda, que no deserto servia de templo para os judeus, era chamada de *"tabernáculo do testemunho"*, porque ali estava guardada aquela *"arca da aliança"*, que era como que a assinatura de um contrato entre Deus e o povo. Era a *"garantia"* do cumprimento das promessas. Abre-se *"o templo da tenda do testemunho"* quer dizer que agora começa o cumprimento final do contrato, da aliança.

> *"Os sete anjos que tinham os sete flagelos saíram do santuário, vestidos de linho puro e resplandecente, cingidos aos rins com cintos de ouro. Então um dos quatro seres vivos deu aos sete anjos taças de ouro, cheias da ira do Deus que vive pelos séculos dos séculos; o templo encheu-se de fumaça da glória de Deus e de seu poder e ninguém podia entrar, enquanto não se consumassem os sete flagelos dos sete anjos."* (15,6-8)

Os anjos estão vestidos de linho branco e trazem um cinturão de ouro: estão vestidos como os sacerdotes antigos. Castigando os adoradores do dragão, eles como que vão oferecer um sacrifício à justiça e à majestade de Deus, ofendido pela idolatria. Trazem em suas mãos as sete taças da ira de Deus: do vinho puro de sua justiça sem mistura, que irá embriagar de dor e de medo.

A fumaça que acompanha as manifestações divinas (do mesmo modo que os raios, trovões e o clamor das trombetas) serve como um símbolo de sua majestade e de seu poder. *"O templo encheu-se de fumaça da glória de Deus e de seu poder"*: a justiça divina é incompreensível para nós. Ninguém podia entrar no templo, porque passou a hora da misericórdia e do perdão. Já não há como aplacar, implorar, pedir. Está começando o *"dia do Senhor"*.

> *"Ouvi, então, uma voz forte vinda do templo que dizia aos sete anjos: 'Ide e derramai sobre a terra as sete taças da ira de Deus'."* (16,1)

A execução da justiça divina, quando as sete taças são derramadas sobre a terra, lembra o que já nos foi apresentado quando soaram as sete trombetas. Lembra ainda a manifestação da justiça divina com as pragas que assolaram o Egito, que não queria dar liberdade ao povo de Deus (Êx 7,10).

As pragas que vêm sobre a terra podem parecer terríveis. Vamo-nos lembrar, porém, que são pálidas e fracas comparações que mal nos podem dar uma ideia do que será realmente o peso da justiça de Deus.

> *"O primeiro (anjo), foi derramar sua taça sobre a terra. Formou-se uma úlcera maligna e dolorosa nos homens que tinham o sinal da fera e que adoravam sua imagem.*
> *O segundo derramou sua taça sobre o mar. Este converteu-se em sangue, semelhante ao de um morto, e pareceu todo ser vivo que estava no mar.*
> *O terceiro derramou sua taça sobre os rios e as fontes das águas. E transformaram-se em sangue."* (16,2-4)

Sabemos que os antigos pensavam que havia um anjo tomando conta de cada uma das coisas do mundo. Havia o anjo dos ventos, das águas, e de tudo o mais. João aproveita essa ideia para nos dar uma interpretação do que está descrevendo:

> *"E ouvi, então, o anjo das águas dizer: 'Tu és justo, tu, o que é, o que era, o santo, que assim julgas; porque eles derramaram o sangue dos santos e dos profetas, tu lhes deste também sangue a beber. Eles o mereceram'.*
> *E ouvi o altar dizer: 'Sim, Senhor, Deus todo-poderoso, teus julgamentos são verdadeiros e justos'".* (16,5-7)

Essa voz que vem do altar é a voz de todos os que morreram por Cristo, segundo o que lemos no capítulo sexto, versículos de nove a dez. Logo mais adiante iremos encontrar a segunda parte da interpretação do julgamento divino: Deus castiga porque ainda espera que os pecadores se convertam. Aí estão dois aspectos inseparáveis do plano divino: Justiça e misericórdia.

> *"O quarto (anjo) derramou sua taça sobre o sol, e foi-lhe dado queimar os homens com fogo. E os homens foram queimados por grande calor, e blasfemaram o nome do Deus que tem poder sobre esses flagelos. Mas não se arrependeram para dar-lhe glória."* (16,8-9)

As quatro taças da ira atingem a terra, o mar, as fontes, o sol. Exatamente como as calamidades anunciadas pelas quatro primeiras trombetas (8,7-12). Isso quer dizer que é toda a criação que, de certo modo, se revolta contra os pecados dos homens e se coloca a serviço da justiça divina para os castigar. Tempestades, mortandades, secas abrasadoras, trevas, calamidades naturais que servem como um sinal de alerta, um convite para que a humanidade reveja seus caminhos e volte ao bem.

No capítulo nono lemos que: *"O restante dos homens, que não foram mortos por esses três flagelos, não se arrependeram das obras de suas mãos, de modo que já não mais adorassem o demônio e os ídolos de ouro, prata, cobre, pedra e madeira, que não podem ver, ouvir e andar. E não se arrependeram de seus homicídios, seus malefícios, sua prostituição e furtos"* (9,20-21). Pois bem, agora encontramos a mesma obstinação: *"E os homens foram queimados por grande calor, e blasfemaram o nome de Deus que tem poder sobre esses flagelos. Mas não se arrependeram..."* (16,9)

Se as quatro primeiras taças diziam respeito a toda a humanidade, as três últimas referem-se a Roma, centro do império perseguidor, figura de todos os poderes humanos que se colocam a serviço do mal:

> *"O quinto (anjo) derramou sua taça sobre o trono da fera; seu reino cobriu-se de trevas, e os homens mordiam a língua de dor. E blasfemaram o Deus do céu por causa de sua dor e de suas feridas.*
> *Mas não se arrependeram de seus atos".* (16,10-11)

Nessas palavras podemos ver uma indicação geral, e tradicional, dos castigos que virão sobre a capital do Monstro. Mas, se quisermos, podemos encontrar na história uma realização exata dessa ameaça: a decadência do império que parecia invencível. Em seu declínio, o império romano caiu em uma verdadeira noite de fraquezas, desordens, conspirações e revoltas. Além de todos os sofrimentos trazidos pela situação calamitosa, havia ainda a dor mais forte da humilhação e da desorientação.

Já a sexta taça anuncia a humilhação que virá de fora, daqueles povos que os romanos orgulhosamente chamavam de bárbaros e selvagens:

> *"O sexto (anjo) derramou sua taça sobre o grande rio Eufrates; e secaram-se suas águas, para que se abrisse caminho aos reis do Oriente".* (16,12)

Examinando a calamidade anunciada pela sexta trombeta (9,13), vimos que, naquele tempo, uma das maiores ameaças para o império romano eram os partas, povo que vivia nas fronteiras orientais, do outro lado do rio Eufrates. Naquela passagem, havia a descrição terrível do exército dos bárbaros que vinha para a invasão. Agora, no capítulo dezesseis, João repete o mesmo anúncio da guerra. Quando o anjo derrama a sexta taça sobre o rio Eufrates, suas águas secam. A fronteira do império está totalmente aberta: será o fim do império romano, dos imperadores orgulhosos que quiseram ser adorados como deuses. É claro que João não está pensando somente no império de Roma. Está anunciando a derrota de todos que através dos tempos vão opor-se ao reino de Deus.

A invasão dos partas poderia parecer o fim do reino do mal. O dragão, porém, e seus aliados ainda tentam um último esforço: vão usar de todos os enganos possíveis:

> *"E vi saírem da boca do dragão, da boca da fera e da boca do falso profeta três espíritos imundos, semelhante a sapos. São os espíritos de demônios que operam prodígios: e foram ter com os reis de todo o universo a fim de reuni-los para a batalha do grande dia do Deus todo-poderoso. (...) E ele os reunirá no lugar chamado, em hebraico, 'Harmagedom'".* (16,13-14.16)

O dragão, o Monstro (Roma), e o falso profeta usam da mentira, do embuste, do engano, para tentar ainda uma reviravolta na história. Tentam conseguir o apoio de todos os reis da terra para sua luta contra os fiéis de Cristo.

João compara essas mentiras como *"espíritos maus, em forma de sapos, que saem da boca dos três inimigos. Eles saem da boca, porque é com palavras enganosas que tentam continuar a luta. Os espíritos têm a forma de sapos: é fácil entender por que. O sapo não é um animal simpático... era considerado pelos antigos como um animal impuro..., figura do mal e da morte. Os sapos fazem muito barulho. Quem não os conhece poderia pensar que são animais perigosos. São assim o símbolo do orgulho e da vaidade. Com essas comparações já fica bem claro que essa última tentativa dos inimigos é uma tentativa inútil como o coaxar dos sapos na lagoa, estufados e impotentes".*

Se ainda conseguem reunir aliados para a luta contra Deus, estão apenas levando a todos para uma derrota inevitável em *"Harmagedom"*.

"Harmagedom": É a única vez que esse nome aparece na Bíblia. Essa palavra hebraica pode ser interpretada como *"montanha de Meguido"*. Meguido era uma cidade da Palestina, colocada ao pé de uma montanha e diante de uma vasta planície. Era um lugar conhecido por muitas batalhas e por muitas derrotas dos judeus. É por isso que João

usa essa planície como um símbolo: ali seria a batalha final, a derrota final do dragão e de todos os seus aliados. Não está de modo algum dizendo que, de fato, em um determinado dia, em um determinado lugar chamado Harmagedom, haverá uma batalha real, com exércitos armados de lança e espada ou de armas atômicas.

Em nossa leitura do capítulo dezesseis, deixamos de lado o versículo quinze, que vem logo antes do anúncio da batalha de Harmaguedom. Nós o deixamos de lado para facilitar a compreensão do texto, pois esse versículo é como que um parêntesis:

> *"Eis que venho como um ladrão! Feliz aquele que vigia e guarda suas vestes, porque não andará despido e não deixará ver sua vergonha".* (16,15)

No versículo anterior João estava falando das últimas tentativas do dragão que apela para o engano e para a mentira. Aproveita a oportunidade para convidar os cristãos à vigilância, para que também não sejam enganados. Ele como que introduz o próprio Cristo que repete os mesmos avisos que lemos no Evangelho, por exemplo em Mt 24,43-44: *"Se o dono da casa soubesse quando vai chegar o ladrão, ficaria por certo vigiando e não permitiria que fosse a casa assaltada. Assim estais também vós e preparados, porque, justamente na hora em que não pensardes, virá o Filho do homem".* Aliás, João usou essa comparação na mensagem à igreja de Sardes (3,3): *"... Se não vigiares, virei a ti como um ladrão, e não saberás a que hora virei".*

Agora podemos retornar ao versículo dezessete:

> *"E o sétimo (anjo) derramou sua taça pelos ares e lá do templo, uma grande voz, vinda do trono dizia: 'Está feito!'*
> *E houve, então, relâmpagos, vozes e trovões, assim como um grande terremoto, tal como jamais houve desde que há homens na terra; tal foi o terremoto, forte e grande. A grande cidade foi dividida em três partes, as cidades das nações caíram, e Deus lembrou-se da grande Babilônia, para lhe dar a beber a copa de sua ira ardente. Todas as filhas fugiram , e os montes desapareceram. E grandes pedras de gelo, de uns trinta e quatro quilos, caíram do céu sobre os homens. E os homens blasfemaram contra Deus por causa do flagelo da saraiva, que foi terrível".* (16,17-21)

A sétima taça anuncia a destruição final de Roma-Babilônia. Acontecimento tão terrível que, para descrevê-lo, João só encontra as comparações tradicionais dos apocalipses: tremor de terra pavoroso, chuva de pedras gigantescas etc.

E essa é apenas uma apresentação inicial do que será a derrota de Babilônia-Roma!

X

A MULHER VESTIDA DE PÚRPURA

A partir do capítulo dezessete estamos caminhando para o final do Apocalipse. A ideia do julgamento apresentada pelas sete taças será agora desenvolvida em uma apresentação completa da derrota de Babilônia-Roma, o cativeiro do dragão e a celebração da vitória do Cordeiro.

A prostituta em sua glória obscena

Já conhecemos praticamente todos os elementos que serão aqui usados para descrever, numa visão, o grande poder adversário de Deus. Basta ler pausadamente o texto para perceber o significado de cada pormenor que nos dará o significado total.

> *"Veio, então, um dos sete anjos que tinham as sete taças, e falou comigo dizendo: 'Vem, e eu te mostrarei o julgamento da grande prostituta, que está sentada sobre as muitas águas, com a qual se prostituíram os reis da terra e se embriagaram os habitantes da terra, com o vinho de sua prostituição'.*
> *Conduziu-me, então, em espírito, a um deserto. E vi uma mulher sentada em cima de uma fera de cor escarlate, cheia de nomes blasfematórios, com sete cabeças e dez chifres. A mulher estava vestida de púrpura e de escarlate, adornada de ouro, pedras preciosas e pérolas; tinha na mão uma taça de ouro, cheia de abominação e das sujeiras de sua prostituição. Em sua fronte estava escrito um nome: 'Mistério: Babilônia, a grande, a mãe das prostitutas e das abomina-*

ções da terra'.
E vi que a mulher estava ébria do sangue dos santos e do sangue das testemunhas de Jesus. A visão encheu-me de espanto." (17,1-6)

Nessa mulher, vestida de púrpura e recoberta de joias, podemos ver a antítese, exatamente o contrário da mulher vestida de sol e coroada de estrelas. Se aquela era a imagem do povo de Deus, esta é a imagem do povo que se entregou ao mal. A mulher vestida de sol foi levada para o deserto, lugar do encontro com Deus na fidelidade e na pureza do primeiro amor. Mas, sabemos que, na linguagem da Bíblia, o deserto tem também um outro significado: é o lugar do abandono, é a morada dos demônios. É por isso que a Grande Prostituta, que embriaga reis e povos com suas *"fornicações"*, tem seu trono no deserto. Deserto que pode também lembrar a solidão a que se condenam seus seguidores.

Não é a primeira vez que encontramos na Bíblia uma cidade apresentada com os traços de uma meretriz. É assim que o profeta Isaías fala de Tiro (23,16) e o profeta Nahum descreve a grande Nínive (3,4). Mesmo o povo de Israel recebe esse qualificativo, como podemos ver em Ezequiel (16,15): *"Estás cheia de vaidade por tua formosura, aproveitaste tua fama para te prostituir, oferecer fornicação a qualquer um..."*

No conjunto do Apocalipse, a figura de Babilônia-Roma serve ainda de contraste à cidade de Jerusalém, tomada como figura do povo de Deus, da Jerusalém celeste onde estará para sempre estabelecido o Reino do Senhor.

Vamos notar ainda a última frase de João: *"A visão encheu-me de espanto"*. Espanto pela visão em si, mas principalmente pelo que ela representava: o poderio do império ímpio e perseguidor.

A mulher, vestida de púrpura e sentada sobre o monstro, trazia um nome escrito na testa. Pode parecer estranho, mas, pelo testemunho de dois escritores romanos (Sêneca e Juvenal), as prostitutas antigas costumavam de fato trazer seu nome escrito na testa. João aproveitava-se do detalhe para, de modo cifrado, mas bastante claro, dizer quem é a grande meretriz.

A esta altura já não será necessário dizer o que significam as ricas vestes de púrpura escarlate, o ouro, as pedras preciosas e as pérolas. Vamos, dessa forma, ouvir a explicação dada pelo anjo a João que tanto se espantara:

"Mas o anjo me disse: 'Por que te admiras? Eu mesmo te vou explicar o mistério da mulher e da fera que a carrega, e que tem sete cabeças e dez chifres'". (17,7)

Essas palavras do anjo poderiam dar-nos a esperança de uma explicação clara e simples para a visão. Mas assim não será. A explicação talvez fosse compreensível para João e seus leitores. Para nós pouco adiantará. Isso devido ao estilo apocalíptico e também porque João não podia falar claramente. Anunciando a queda de Roma, poderia ser acusado de subversão. Nenhum poder gosta que lhe digam que seus dias estão contados.

"A fera que viste era, mas já não é; ela há de subir do abismo para ir à perdição e admirar-se-ão os habitantes da terra, cujos nomes não estão escritos desde o começo do mundo no livro da vida, vendo reaparecer a fera que era e já não é mais." (17,8)

Várias vezes já vimos como Deus é chamado de *"Aquele que era, é e será"*. Com esse modo de falar procura-se entender a eternidade de Deus e seu poder absoluto. Já vimos também como João apresenta o monstro como uma paródia, uma imitação ridícula de Deus e do Cristo, morto e ressuscitado. Aqui, na explicação do anjo, encontramos a mesma ideia. O monstro, com seu poder *"já era"*, já perdeu de fato seu poder, porque sua força não é eterna. Ele não é mais. Não pode realmente pôr em perigo a realização do plano de Deus.

O monstro já era, não é mais, mas ainda vai reaparecer subindo do abismo, como se estivesse ressuscitando. Mas vai subir apenas para ser mais completamente derrotado. Ele é um monstro que nem merece ser temido. Somente os *"habitantes da terra que não têm seu nome no livro da vida"*, somente eles é que ainda poderão admirar esse arremedo do poder de Deus. Traduzindo livremente o pensamento de João, podemos dizer que o monstro é *"um monstro de papel, bom para amedrontar crianças"*:

O anjo continua sua explicação:

"Aqui se requer uma inteligência que tenha sabedoria! As sete cabeças são sete colinas sobre as quais está sentada a mulher. São também sete reis: cinco já caíram, um subsiste, o outro ainda não veio: e, quando vier, deve permanecer pouco tempo. Quanto à fera, que era

> *e já não é, ela mesma é um oitavo; todavia é um dos sete, e vai-se indo para a perdição".* (17,9-11)

O próprio João já nos previne que estamos diante de um texto misterioso, de significado enigmático: *"Aqui se requer uma inteligência que tenha sabedoria"*. Pois bem, até agora ninguém conseguiu decifrar o enigma. Os autores apresentam suas explicações apenas como hipóteses, soluções possíveis. Cada um apresenta uma lista de imperadores romanos que estariam sendo mencionados por João. O melhor será renunciar a explicar tudo. Vamos contentar-nos com o que parece mais claro na mensagem.

"As sete cabeças são sete colinas sobre as quais está sentada a mulher..." Os antigos chamavam Roma de *"a cidade das sete colinas"*. No versículo dezoito João irá dizer que: *"a mulher... é a cidade, a grande, aquela que reina sobre os reis da terra"*. Podemos dizer, desse modo, que o conjunto da visão indica o império romano como o grande adversário do reino de Cristo. Seus muitos imperadores (o número sete serviria para indicar o conjunto de todos) vão passando, mas todos teimando em conseguir a vitória contra a Igreja. Todos duram pouco, todos caminham para a destruição.

Em sua luta, o império romano encontra aliados:

> *"E os dez chifres que viste são dez reis que ainda não receberam o reino, mas que receberão poder, como reis, durante uma única hora junto à fera. Eles têm o mesmo critério e transmitirão à fera sua força e seu poder..."* (17,12-13a)

Os dez reis são todos os que se colocam a serviço do monstro, em todos os tempos e em todos os lugares. O poder do mal sempre encontrará aliados, ou melhor, escravos iludidos por seu poderio aparente. Estão simbolizados pelas grandes águas, sobre as quais está assentada a grande meretriz, como vemos no versículo quinze.

> *"... combaterão contra o Cordeiro, mas o Cordeiro os vencerá, porque é o Senhor dos senhores e o Rei dos reis, e aqueles que estão com ele são os chamados, os escolhidos, os fiéis".* (17,13b-14)

Está bem claro de quem será a vitória. Vamos notar apenas que o Cordeiro é chamado de *"Senhor dos senhores e Rei dos reis"*. Os imperadores romanos queriam ser tratados como deuses; exigiam por isso o título de *"Kýrios-Senhor"*. Mas o único *"Kýrios"* verdadeiro, o único Rei é o Cordeiro, o Cristo. Contra seu poder de nada adiantam todos os esforços dos falsos senhores e falsos reis. Todos serão irremediavelmente vencidos.

A aliança entre os inimigos do Cordeiro poderia, à primeira vista, parecer uma aliança sólida. Acontece que nenhuma aliança poderá ser durável entre os que se unem pelo mal e para o mal. Estão unidos pelo ódio, estão unidos pela desunião. Acabarão lutando entre si, destruindo-se uns aos outros. É o que o anjo continua anunciando:

> *"E o anjo continuou: 'As águas que viste, junto das quais a prostituta está sentada, são povos e multidões, nações e línguas. Os dez chifres que viste, assim como a fera, odiarão a prostituta; hão de despojá-la e despi-la; hão de comer-lhe as carnes e queimá-la ao fogo. Porque Deus lhes incutiu o desejo de executarem seus desígnios, de concordarem e entregarem seu reino à fera, até que se cumpram as palavras de Deus".* (17,15-17)

Depois desse anúncio da destruição de Roma-Babilônia, espezinhada por seus próprios aliados e cúmplices no mal, bem que podemos ver uma ponta de ironia nas palavras do anjo que encerram a explicação:

> *"A mulher que viste é a cidade, a grande, aquela que reina sobre os reis da terra".* (17,18)

A prostituta em sua humilhação

Ao descrever com pormenores a destruição da *"grande cidade"*, João usa um estilo nitidamente profético, sendo fácil perceber como foi aproveitado expressões e até frases completas dos antigos profetas. A composição é literalmente muito bem cuidada. Podemos perceber claramente uma sequência dramática:

1) Apresentação geral do tema: Roma destruída é reduzida a escombros desertos, abandonada de todos.

2) Os fiéis de Cristo devem abandonar a cidade o quanto antes.

3) É dada a ordem para que se faça estrita justiça contra a cidade pecadora.

4) Sua sorte é tão pavorosa que todos a lamentam: os reis seus aliados, os negociantes que a enriqueceram e com ela ganharam tanto, os viajantes que a procuravam e agora passam de longe.

5) Como eco dos lamentos, temos um hino que os fiéis do Cristo cantam à justiça divina.

6) A cidade destruída é amaldiçoada.

7) Como encerramento, o coro celeste que celebra o justo julgamento de Deus.

Toda essa passagem é de um vigor terrível, principalmente se nos lembramos de que Roma representa todos os impérios e forças que se ergueram e ainda se erguerão contra o Reino de Deus.

Vamos ver o texto parte por parte:

> *"Depois disso, vi descer do céu um outro anjo que tinha grande poder, e a terra foi iluminada com sua glória.*
> *E clamou em alta voz, dizendo: 'Caiu, caiu a grande Babilônia, e tornou-se morada de demônios, prisão de espíritos imundos, prisão de aves impuras e abomináveis; porque todas as nações beberam do vinho da ira de sua desenfreada prostituição, se prostituíram com ela e os reis da terra, e os mercadores da terra se enriqueceram com o excesso de seu luxo".* (18,1-3)

A grande capital do mundo vai-se transformar em um deserto, na linguagem da Bíblia, lugar de maldição e solidão, reino dos poderes do mal.

A prostituição com que Babilônia-Roma corrompeu a terra é a idolatria, pela qual os homens se afastaram de Deus, e o poder totalitário (social, político e econômico) usado para escravizar a humanidade.

Os mercadores são lembrados aqui porque todas as formas de dominação tirânica encontram sempre o apoio dos que se enriquecem com a desgraça alheia.

> *"E ouvi uma outra voz do céu, que dizia: 'Sai do meio dela, ó meu povo, para que não participeis de seus pecados, e não tenhais parte em seus flagelos. Porque seus pecados se empilharam até o céu, e o Senhor se lembrou de suas injustiças'."* (18,4-5)

No livro do Gênesis (19), encontramos um convite semelhante dirigido a Lot, para que abandone Sodoma. A mesma recomendação fez Jesus a seus discípulos (Mt 24,16). Os cristãos devem *"fugir"* para que não acabem como cúmplices, amarrados por compromissos, da corrupção de Babilônia. Evidente que a *"fuga"* não é tanto abandonar um lugar, mas principalmente uma questão de atitude.

A seguir, uma passagem que nos poderá espantar ou até escandalizar se a interpretamos como um convite à vingança. De fato, porém, é apenas o anúncio de uma justiça estrita, apresentada sob a forma da lei do talião, do dente por dente. Justiça exercida por Deus, tantas vezes apresentado como o defensor (o vingador) dos fracos e oprimidos.

> *"Fazei com ela o que ela fez aos outros, e retribuí-lhe o dobro de suas obras. Na taça que ela vos deu a beber, dai-lhe a beber o dobro. Quanto se vangloriou e se entregou ao luxo, tanto lhe haveis de dar em tormentos e lágrimas. Pois ela disse em seu coração: 'Estou sentada no trono como rainha, e não viúva, e nunca conhecerei o luto!' Por isso, num só dia virão sobre ela as pragas: morte, pranto, fome, e ela será consumida pelo fogo; porque forte é o Senhor Deus que julga."* (18,6-8)

A grandeza do castigo é dramaticamente apresentada por uma sequência de lamentações. De longe, João faz questão de salientá-lo, reis e mercadores e navegantes erguem suas vozes como o faziam as carpideiras. Conservam-se a uma boa distância como quem tem medo. Conservam-se longe, porque o castigo é tão grande que se faz patente em toda a terra.

O primeiro coro de lamentações é o dos reis:

> *"E hão de chorar e lamentar-se por sua causa os reis da terra que com ela se contaminaram e pecaram, quando avistarem a fumaça de seu incêndio. Parados ao longe, de medo de seus tormentos, eles dirão: 'Ai, ai! A grande cidade, ó Babilônia, cidade poderosa! Numa só hora sobreveio teu julgamento!'"* (18,9-10)

A seguir temos os lamentos interesseiros dos mercadores:

> *"Também os negociantes da terra choram e se lamentam a seu respeito, porque já não há ninguém que compre sua mercadoria".* (18,11)

Quais foram essas mercadorias, vemos nos versículos seguintes. A enumeração é cuidadosamente feita para dar uma imagem do luxo e da riqueza de Roma-Babilônia. Poderíamos até dizer que a sociedade de consumo não é invenção de nosso tempo:

> *"Mercadoria de ouro e prata, pedras preciosas e pérolas, linho fino e púrpura, seda e escarlate; bem como de toda a espécie de madeira odorífera, objetos de marfim e madeira preciosa; de bronze, de ferro e mármore; de cinamomo e essência; de aromas, mirra e incenso; de vinho e óleo, de farinha de trigo, de animais de carga, ovelhas, cavalos e carros, de escravos e outros homens".* (18,12-13)

Comércio de escravos e *"outros homens"* para os combates na arena, as satisfações da vaidade e da luxúria.

> *"Os frutos de teus anseios afastaram-se de ti; toda a opulência e esplendor terminaram para ti, e jamais poderão ser encontrados. Os mercadores destas coisas, que por meio delas se enriqueceram, pararão ao longe, de medo de seus tormentos, e hão de chorar e lamentar-se dizendo: 'Ai, ai! A grande cidade, vestida de linho, púrpura e escarlate, ornada de ouro, pedrarias e pérolas! Numa hora foi devastada tanta riqueza'."* (18,14-17a)

Dos navios, que do mundo todo traziam as riquezas para a grande capital, ergue-se o terceiro coro carpindo a passada glória:

> *"Todos os pilotos e todos os navegantes; os marinheiros e todos os que trabalham no mar, paravam ao longe, e exclamavam ao ver a fumaça de incêndio: 'Que cidade houve semelhante a esta cidade, a grande?' E lançavam pó sobre suas cabeças, chorando e lamentando-se, com estas palavras: 'Ai, ai! A grande cidade, de cuja opulência se enriqueceram todos os que tinham navio no mar. Numa só hora foi devastada'".* (18,17b-19)

Em contraste violento com esses lamentos dos cúmplices de Roma, quase nos choca um convite à alegria. Não à alegria pela desgraça alheia, mas pela manifestação da justiça divina:

> *"Exultai a seu respeito, ó céu, e vós, apóstolos e profetas, porque Deus julgou contra ela a vossa causa".* (18,20)

A maldição final

A maldição final contra a *"mulher vestida de púrpura"* é apresentada por uma ação simbólica e por palavras claras por si mesmas:

> *"Então, um anjo vigoroso tomou uma pedra do tamanho de uma grande mó de moinho e lançou-a ao mar dizendo: 'Com tal ímpeto será precipitada Babilônia, a grande cidade, e não mais será vista. Já não se ouvirá mais em ti o som dos artistas e citaristas, dos músicos e dos trombetistas. Nem se encontrará em ti artífice de qualquer espécie. Não se ouvirá mais em ti o ruído do moinho; não brilhará mais em ti a luz da lâmpada; não se ouvirá mais em ti a voz do esposo e da esposa, porque teus mercadores eram magnatas da terra e todas as nações erraram por causa de seus malefícios. Foi nela que se encontrou o sangue dos profetas e dos santos, bem como de todos aqueles que foram imolados na terra'".* (18,21-24)

O triunfo da esposa

A grandeza de Deus, sua misericórdia que salva mostram-se também nos seus atos de justiça. A humilhação da *"mulher vestida de púrpura"* é um desses atos terríveis que nos ajudam a ter isso em conta. Deus deve ser louvado também quando manifesta sua justiça.

É o que nos mostra em mais um ato da liturgia celeste:

> *"Depois disso, ouvi no céu como que a voz de imensa multidão dizendo: 'Aleluia. A nosso Deus pertencem a salvação, a glória e o poder, porque seus juízos são justos e verdadeiros. Ele julgou a grande prostituta, que corrompia a terra com sua prostituição, e pediu-lhe contas do sangue de seus servidores, derramado por suas mãos'.*
> *E mais uma vez disseram: 'Aleluia! Sua fumaça sobe pelos séculos dos séculos!'*
> *E, então, os vinte e quatro anciãos e os quatro seres vivos prostraram-se e adoraram a Deus que estava sentado no trono, dizendo: 'Amém! Aleluia!' Do trono saiu uma voz que dizia: 'Louvai a nosso Deus, vós todos os seus servidores e os que o temeis, pequenos e grandes!' E ouvi como que a voz de uma grande multidão, semelhante ao ruído de muitas águas e ao ribombar de trovões possantes, que*

> *dizia: 'Aleluia! Eis que reina o Senhor, nosso Deus, o todo-poderoso! Alegremo-nos, exultemos e demos-lhe glória, porque chegaram as núpcias do Cordeiro: sua esposa já está preparada'".* (19,1-7)

Os dois últimos versos introduzem uma nova imagem para a celebração da vitória, da qual participa como "esposa" toda a Igreja.

Várias vezes Jesus comparou o reino de Deus com um banquete de casamento, para o qual são chamados os convidados (Mt 8,11; 22,1; Lc 22,18 etc.). Assim falando, Jesus seguia a tradição dos profetas que inúmeras vezes apresentaram a aliança entre Deus e seu povo como um casamento. Essa comparação deixa claro o amor que se estabelece entre Deus e os escolhidos e chamados. Se houver infidelidade, será por parte dos homens, jamais da parte de Deus. A infidelidade é comparada com o adultério, modo de falar que já encontramos também no Apocalipse.

Isso e mais a alegria, que costuma acompanhar uma festa de casamento, levaram João a apresentar assim o triunfo de Cristo e de sua Igreja:

> *"E foi dado à esposa revestir-se de linho fino, puro e resplandecente, pois o linho fino são as boas obras dos santos.*
> *E então disse-me: 'Escreve: Felizes os convidados para a ceia das núpcias do Cordeiro!'*
> *Disse-me ainda: 'Estas palavras de Deus são verdadeiras'".* (19,8-9)

Bem podemos imaginar a alegria e a confiança que tomavam conta de João ao anunciar e ver assim anunciada a hora da vitória, quando a Igreja poderá ver realizada todas as promessas. Essa realização é a recompensa eterna e ao mesmo tempo a felicidade da Igreja ainda nesta terra. Felicidade que se encontra na fidelidade, mesmo em meio das maiores dificuldades.

João está como que fora de si, já nem sabe o que fazer. Diante do ser misterioso que lhe anuncia coisas tão belas, ele quase pensa estar diante do próprio Cristo ou do próprio Deus:

> *"E eu prostrei-me a seus pés para adorá-lo, mas ele me disse: 'Nada disso! Eu sou um servidor, como tu e como teus irmãos, que têm o testemunho de Jesus. É a Deus que deves adorar'".* (19,10a)

O mensageiro celeste dá-lhe ainda uma última garantia da realidade de tudo quanto está vendo. Nada é sonho ou esperança inútil. Pelo contrário, tudo está garantido pela palavra fiel do Cristo que inspira os profetas:

> *"Porque o testemunho de Jesus é o espírito da profecia".* (19,10b)

XI

BATALHA FINAL

A esta altura já estamos acostumados com o estilo de João no Apocalipse: um mesmo assunto, um mesmo tema, é apresentado sob diversas formas, pondo sempre novos aspectos em evidência. O mesmo acontece agora (19,11 a 20,15). Novamente estamos diante da destruição de Roma-Babilônia, da derrota do dragão e do falso profeta que procurou fazer que todos adorassem o monstro vindo do mar.

Novo é o modo de apresentar a vitória de Deus como o resultado da luta entre dois grandes exércitos. Um chefiado por um misterioso guerreiro montado em um cavalo branco; o outro chefiado pelo monstro e pelo falso profeta. O desfecho da luta será o cativeiro do dragão, acorrentado por mil anos, até o julgamento final.

Essa passagem do Apocalipse deve ser muito bem compreendida pois já foi, muitas vezes, mal interpretada por imaginações exaltadas.

Vamos ver, em primeiro lugar, a apresentação do exército de Deus.

O exército branco

> *"Depois, vi o céu aberto: e eis que aparece um cavalo branco; aquele que o monta chama-se 'Fiel e Verdadeiro', ele julga e guerreia com justiça. Seus olhos são semelhantes a lâminas ardentes e há em sua cabeça muitos diademas; traz escrito um nome que ninguém conhece, senão ele. Está vestido com um manto salpicado de sangue e seu nome é 'A Palavra de Deus'."* (19,11-13)

O comandante do exército de Deus vem do céu: seu poder vem do alto. Está montado em um cavalo branco: o símbolo da vitória que de antemão lhe está garantida.

Para identificar o misterioso cavaleiro, encontramos três nomes. O primeiro é *"Fiel e Verdadeiro"*. Esse é o nome que o AT dá muitas vezes para Deus, cumpridor infalível de todas as suas promessas. O segundo nome, é um nome misterioso, que ninguém conhece. O cavaleiro é, pois, um ser superior, divino. Ninguém conhece seu nome, porque ninguém pode compreendê-lo, só ele mesmo é que se pode conhecer. O terceiro nome é *"A Palavra de Deus"*. A palavra de Deus é sua força. Ele diz, ele manda, e tudo acontece. E mais ainda. No Evangelho de João, o Cristo é chamado de *"Palavra de Deus"* (em grego *"Logos"* de Deus). Sendo assim, podemos dizer que o cavaleiro misterioso é o próprio Cristo, o que vem realizar todas as promessas de Deus, o Filho igual ao Pai, infinitamente acima de todo o poder e de toda a compreensão humana.

Segundo a descrição, o Cristo traz em sua cabeça muitas coroas. Como estamos lembrados, o dragão tinha sete coroas, e o monstro tinha dez. O Cristo, porém, é maior: ele tem *"muitas"* coroas. Logo mais à frente vamos ler (v. 16) que ele é o *"Rei dos reis"* e o *"Senhor dos senhores"*.

O manto do cavaleiro está coberto, molhado de sangue. Podemos encontrar duas explicações para isso. Podemos entender que o Cristo traz seu manto manchado por seu próprio sangue, o sangue que derramou por nós na cruz, o sangue que também, de certo modo, derramou na morte de todos os mártires que por ele morreram. Esse sangue que parecia ser sinal de derrota, é agora apresentado como a púrpura gloriosa que tinge seu manto real. Mas, podemos também ver nesse sangue o sinal de sua vitória sobre todos os inimigos já vencidos. Teríamos, desse modo, a mesma ideia que já encontramos no profeta Isaías (63,1-3). Nessa passagem o profeta descreve Javé que volta depois de ter esmagado os inimigos do povo, e explica que esteve sozinho a esmagar as uvas no tanque e por isso tem as vestes manchadas de sangue.

No versículo 14 João continua:

> *"Os exércitos celestes seguiam-no montados em cavalos brancos e vestidos de linho fino, branco e puro. De sua boca saía uma espada de dois gumes, para*

com ela ferir as nações, porque ele as governa com um cetro de ferro, e pisa o largar do vinho da ardente ira de Deus todo-poderoso. E ele traz escrito em seu manto e na coxa um nome: 'Reis dos Reis e Senhor dos senhores'".

A espada que sai da boca do cavaleiro é a palavra de Deus, a palavra todo-poderosa, que basta para criar e destruir. As outras imagens e comparações já nos são conhecidas.

Estamos diante do *"dia do Senhor"* em que se manifesta sua justiça. Nada se diz da misericórdia, porque seu tempo já passou. O Cristo aqui é apresentado não tanto como Salvador quanto como Juiz. Retomando uma frase do AT (Sl 2,9), João diz que ele vai governar os povos com uma *"vara de ferro"*, símbolo do rigor e da força, em oposição à vara de madeira usada pelos pastores, símbolo da compaixão e do cuidado amoroso. A ideia que nos foi sugerida pelo manto manchado de sangue é completada pela comparação com o homem que esmaga uvas para fazer vinho: assim serão esmagados os inimigos de Deus.

Contra a fera e os reis da terra

Feita a apresentação do exército do Cristo, teremos agora a descrição da batalha. A narrativa é introduzida por algumas frases que já nos fazem imaginar como será terrível o combate, como será grande a derrota dos inimigos:

"Vi, então, um anjo de pé, sobre o sol, clamando em alta voz a todas as aves que voam pelo meio dos céus: 'Vinde, reuni-vos para a grande ceia de Deus, para comerdes carne de reis, carnes de generais e carnes de poderosos, carne de cavalos e cavaleiros; carnes de todos, livres e escravos pequenos e grandes'". (19,17-18)

A derrota será tão grande que ninguém sobrará para enterrar os mortos. Ficarão atirados no campo de batalha, para serem devorados pelos abutres. Comparação que dá a entender como será a derrota da fera e de seus reis... O que fica ainda mais claro se lembramos que para os antigos era uma desgraça ficar sem as honras da sepultura; era isso quase pior do que a própria morte. Era a maior das vergonhas.

> *"E vi a fera e os reis da terra com seus exércitos prontos para fazerem guerra àquele que montava o cavalo e a seu exército. Mas a fera foi capturada, e com ela o falso profeta que, com os sinais feitos diante dela, tinha seduzido os que receberam o sinal da fera e que se prostraram diante de sua imagem. Todos os dois foram lançados vivos no lago de fogo sulfuroso. Os outros foram mortos por aquele que montava o cavalo, com a espada que saía de sua boca; e todas as aves fartaram-se de suas carnes."* (19,19-21)

Talvez não seja demais lembrar ainda uma vez: não vamos esquecer-nos de que estamos diante de um modo de falar poético e não diante de um relato histórico. Não será tomando tudo ao pé da letra que iremos perceber o que João nos quer, de fato, ensinar.

A trégua dos mil anos

O capítulo 20 do Apocalipse foi muitas vezes interpretado de um modo literal. Isso já foi feito nos primeiros tempos do cristianismo e ainda hoje o é por algumas seitas. Essa leitura literal entende que João estaria ensinando mais ou menos o seguinte:

1. Em um determinado momento do futuro, o Dragão, que é o Demônio, ficará preso, de modo que não possa fazer mal à humanidade e à Igreja.

2. O Cristo começaria desse modo um reinado de mil anos, cercado por seus mártires ressuscitados. Segundo alguns, essa ressurreição não seria somente para os mártires, mas para todos os justos.

3. Depois de o Cristo ter reinado visivelmente nesta terra durante mil anos, o Dragão seria novamente solto para fazer um último ataque contra a Igreja e ser definitivamente derrotado.

4. A seguir, haveria a ressurreição de todos os mortos, também dos maus, para serem julgados.

De tempos em tempos, principalmente nos momentos difíceis da humanidade, muitos cristãos voltaram-se para essas imaginações. A Igreja, em seus ensinamentos oficiais nunca aceitou essas interpretações literais.

Para compreendermos bem o capítulo 20 é preciso colocá-lo dentro do conjunto de todo o Apocalipse e de sua mensagem. Vamos recordar rapidamente. O Apocalipse foi escrito em primeiro lugar para os cristãos do primeiro século, cercados por terríveis dificuldades. Precisavam de uma palavra de esclarecimento e de apoio. É nesse contexto que a partir do versículo 11 do capítulo 19 encontramos ainda uma vez o anúncio da vitória do Cristo sobre o mal:

1. *O Cristo (o cavaleiro montado num cavalo branco) é o rei e comandante do exército de Deus. Trava uma batalha contra o exército do mal.*

2. *O exército do mal é derrotado. O monstro que veio do mar e seu falso profeta são presos e atirados no inferno. Estão liquidados para sempre. O dragão que é o demônio também é vencido e aprisionado.*

A partir daí, encontramos o capítulo 20. O dragão foi vencido, mas ainda pode continuar tentando fazer mal à Igreja. É como um prisioneiro a quem, de tempos em tempos, fosse dada a liberdade e voltasse a seus crimes. Essa situação vai continuar até que chegue o momento da vitória definitiva de Deus, em um tempo que não sabemos quando será. Quando chegar esse momento, o demônio estará impedido definitivamente de fazer mal. Todos os homens serão julgados e Deus estará para sempre morando no meio de seus filhos em uma nova cidade maravilhosa (capítulo 21).

Podemos ler agora o capítulo 20 e ver como João, usando uma linguagem simbólica, anuncia essa situação da Igreja até o fim do mundo. Sempre como o reino de paz do Cristo, mas ao mesmo tempo sempre em luta, sempre em dificuldades, sempre perseguida e incompreendida.

> *"Vi, então, descer do céu um anjo que tinha na mão a chave do abismo e uma grande algema. Ele apanhou o dragão, a serpente antiga, que é o diabo, satanás, e o algemou por mil anos. E atirou-o no abismo, que trancou à chave e selou por cima, para que já não seduzisse as nações até que se consumassem mil anos. Depois disso, ele deve ser solto por um pouco de tempo."* (20,1-3)

Já conhecemos praticamente todas as comparações e imagens empregadas. O *"abismo"* é o lugar do mal, a morada da morte, a prisão conveniente para o dragão. Deus tem a *"chave do abismo"*, porque seu poder é absoluto. Ele pode dominar o mal, e um dia marcará o fim de seu império. O dragão é chamado de *"a serpente antiga"*, em uma clara referência à serpente que encontramos no Gênesis (3,1-4), referência que já foi feita por João no capítulo 12, versículo 9: *"E foi precipitado o grande dragão, a serpente antiga, que se chama diabo e satanás, o sedutor do mundo inteiro..."*

Satanás ficará algemado por *"mil anos"*, isto é, por um tempo muito longo, mas que não se pode determinar nem calcular. No capítulo 11 já vimos que um tempo breve e indeterminado é indicado como sendo de três anos e meio ou três dias e meio.

> *"Vi também tronos, sobre os quais se assentara, e lhes foi confiado o poder de julgar: eram as almas dos que foram decapitados por causa do testemunho de Jesus e da palavra de Deus e todos aqueles que não tinha adorado a fera ou sua imagem, que não tinham recebido seu sinal na fronte nem nas mãos; e eles viveram e reinaram com Cristo por mil anos. Os outros mortos não tornaram à vida até que se consumaram os mil anos. Esta é a primeira ressurreição! Feliz e santo é aquele que toma parte na primeira ressurreição! Sobre eles a segunda morte não tem poder, mas serão sacerdotes de Deus e do Cristo: reinarão com ele durante mil anos."* (20,4-6)

Vencido o monstro, que era o império romano, e com isso acorrentado também o dragão, os cristãos poderão contar com um tempo de paz.

Esse tempo de paz é apresentado como um reino messiânico, isto é, reino de salvação. É como que uma volta ao paraíso, onde segundo a tradição dos judeus os homens deveriam viver mil anos, o que seria o cúmulo da felicidade que podiam imaginar. Nesse tempo haverá como que uma ressurreição da Igreja, como a dos esqueletos ressequidos que encontramos no capítulo 37 do profeta Ezequiel. Os que morreram por Cristo *"ressuscitarão"* na medida em que será reconhecida sua vitória final. Essa é a *"primeira ressurreição"*, a vida dos discípulos de Cristo que não precisam temer a condenação da *"segunda morte"*, que sobre eles não tem nenhum poder. Pelo contrário, serão como sacerdotes e reis. Mais de uma vez vimos como João apresenta a felicidade do céu como uma grande festa religiosa, uma grande liturgia no céu. Pois bem, a vida dos cristãos já agora poderá ser como que uma grande festa, um grande ato de adoração a Deus. São os sacerdotes do novo tempo. E serão reis, como o Messias, sempre apresentado como um reino que vem a estabelecer o *"reinado de Deus"*. Já não estão sujeitos à escravidão do mal. A vida está colocada em suas mãos.

"Os outros mortos não tornaram à vida...", pois a vida e a salvação existe somente para os fiéis. Os outros são como se já não existissem.

Não participam do reino messiânico.

> *"Depois de se consumarem mil anos, satanás, será solto da prisão, saindo para seduzir as nações dos quatro cantos da terra, Gog e Magog, e reuni-las para a luta, numerosas como areia do mar. Espalharam-se pela superfície da terra, e cercaram o acampamento dos santos e a cidade querida. Mas desceu um fogo do céu e as devorou. E o diabo, que as seduziu, foi lançado num lago de fogo e de enxofre, onde já estavam a fera e o falso profeta, e onde serão atormentados, dia e noite, pelos* séculos dos séculos." (20,7-10)

A vida da Igreja do Cristo é, nesta terra, uma contínua sucessão de lutas. Nem Cristo nem João, seu profeta, prometem-lhe um reino tranquilo. Porque *"seu reino não é deste mundo"*. Chegará, porém, o dia da última batalha, quando o inimigo será afinal derrotado. Acabará este tempo e começará a eternidade. Ainda uma última vez João lembra isso a seus leitores, para que tenham confiança nas lutas que vão enfrentando, cada um em seu tempo e em seu ambiente.

Para dar sua mensagem, João recorre ao profeta Ezequiel que nos capítulos 38 e 39 fala de Gog, rei de Magog, que vem invadir a Palestina semeando terror. Ezequiel anuncia sua derrota. Aproveitando a ideia, João fala de dois reis bárbaros, Gog e Magog, como figuras dos últimos aliados que o Dragão consegue arregimentar em sua luta contra a Igreja do Cristo. Seu poder parece imenso: seus soldados são numerosos como as areias da praia. São, porém, destruídos pelo fogo do poder de Deus.

O Dragão e seus aliados de todos os tempos recebem o castigo definitivo. Derrotados os inimigos, terminado o tempo de provas, começa a eternidade. Seu começo é marcado pelo julgamento de todos, que João descreve de forma plástica.

O julgamento final

> *"Vi, então, um grande trono branco, e alguém que nele estava sentado. Os céus e a terra fugiram de sua presença e não houve mais lugar para eles. Vi também os mortos, grandes e pequenos, de pé, diante do trono. Livros foram abertos, e ainda um outro livro, que é o livro da vida; e os mortos foram julgados conforme o que estava escrito*

> *nos livros, segundo suas obras. O mar devolveu os mortos que nele estavam; a morte e o lugar dos mortos restituíram os mortos que neles estavam; e cada um foi julgado segundo suas obras. A Morte e o lugar dos mortos foram lançados ao lago de fogo. A segunda morte é esta: o lago de fogo. E se alguém não foi encontrado inscrito no livro da vida foi lançado ao lago de fogo."* (20,11-15)

Agora sim, estamos colocados na eternidade: *"Os céus e a terra fugiram de sua presença e não houve mais lugar para eles"*. Terminou o presente estado de coisas. Restam somente Deus e o homem: *"Vi, então, um grande trono branco de alguém sentado nele"*. Terminada para sempre a vida presente, todos os homens são convocados para o julgamento. Todos ressuscitam. Aqui estamos diante de um claro ensinamento da ressurreição final. É inútil imaginar como será; sabemos apenas que todos, em sua totalidade humana, serão convocados para o julgamento final.

A descrição é figurada: como se houvessem livros onde estivessem anotadas todas as ações, boas e más. Como se houvesse ainda um outro livro: o livro da vida, onde estivessem anotados os nomes de todos os escolhidos por Deus. Os justos já não precisarão temer nem a Morte nem a Morada dos Mortos. Como personificação do mal e de seu castigo, a Morte e o Sheol deixarão de existir, serão *"atirados ao lago de fogo"*, para onde serão também atirados os maus, eternos escravos da Morte e do Sheol.

Com isso está encerrado o ciclo: todas as batalhas terrestres terminam com o julgamento final. Vitória ou derrota final dependem de cada um, do bem ou do mal livremente escolhidos, da fidelidade ou da infidelidade, da perseverança ou do desânimo.

XII

A JERUSALÉM CELESTE

Estamos chegando ao fim da mensagem do Apocalipse. Aos cristãos do primeiro século, perseguidos e cercados de tantos perigos, à Igreja de todos os tempos, João apresentou uma mensagem de esperança. Não precisamos temer, pois Deus está conosco. Os ataques de todos os inimigos nada conseguirão. Todos serão vencidos pelo poder do Cristo. Ainda durante esta vida continuamente iremos ver o triunfo de Deus e a destruição de seus inimigos, um depois do outro.

João, porém, não anuncia apenas vitórias parciais para a Igreja. Para tornar nossa confiança mais firme, várias vezes até agora ele nos anunciou a vitória definitiva, a felicidade final. Neste último capítulo a mensagem é retomada em uma imagem final da alegria e de triunfo: Deus estará para sempre conosco, em uma terra, em uma Jerusalém nova, luminosa e feliz.

Logo de começo João nos deixa bem claro que anuncia um novo estado de coisas, uma nova situação, que não acontecerá neste nosso mundo. Não está anunciando um paraíso terrestre, uma realidade que venha colocar-se em uma linha de continuidade com nossa história humana. Não está anunciando um toque de mágica que venha solucionar nossos problemas. Fala de uma nova situação, de uma realidade que está fora de nosso tempo e muito além de toda a nossa compreensão. Tudo será novo, completamente diferente: tudo que agora conhecemos estará irremediavelmente superado.

João, que muitas vezes usa de tantos rodeios para se exprimir, agora nos atira bruscamente para além deste mundo e das coisas humanas.

O novo céu e a nova terra

"Vi, então, um novo céu e uma nova terra; pois o primeiro céu e a primeira terra desapareceram e o mar já não existe." (21,1)

O céu, a terra, o mundo onde vivemos, nossas realidades todas passaram, nada mais existe, somente nós e Deus. Caíram todos os céus, todas as paredes. Desapareceu tudo quanto era acessório, nossas grandes e as pequenas preocupações e conquistas. Sobramos nós. O mar já não existe. O mar que era para os antigos o resto do caos primitivo, do vazio, da confusão e do nada existentes antes da criação. O mar que simbolizava as forças da desordem, do mal e da morte. Tudo isso deixa agora definitivamente de existir, porque estamos diante de uma nova criação, a realização definitiva das promessas divinas. Agora tudo será diferente, como se Deus criasse um novo céu e uma nova terra. Estaremos vivendo uma situação nova, um mundo novo.

Voltando a usar uma linguagem tradicional, João apresenta essa nova situação da Igreja como o tempo de seu casamento definitivo com o Cristo. Agora se irá completar aquela aliança de Deus com seu povo, aliança que os profetas tantas vezes compararam com os laços do amor conjugal.

Jerusalém era a capital dos judeus. Era, porém, muito mais do que isso: era a figura do próprio povo escolhido de Deus. É por isso que João vai apresentar-nos agora a Igreja sob a figura da "nova Jerusalém". Jerusalém que é visualizada como a noiva esplêndida em seus trajes nupciais:

"A cidade santa, a nova Jerusalém, eu a vi descendo do céu, de junto de Deus, arrumada como uma esposa, que se enfeitou para o esposo". (21,2)

Para os judeus era tão grande o significado de Jerusalém, que eles diziam que sua cidade tinha sido realizada segundo um modelo que estava nos céus junto de Deus. Como de outras vezes, o sentido da visão é apresentado mais claramente por uma voz:

"E ouvi uma grande voz que saía do trono e que dizia: 'Eis a tenda de Deus entre os homens: habitará com eles, e serão seu povo, e ele será o "Deus com eles". Enxugará toda lágrima de seus olhos, e já

não haverá morte, nem luto, nem grito, nem dor, porque as primeiras coisas terão passado'". (21,3-4)

Deus vai morar com os homens; literalmente: vai armar sua tenda entre nós. Agora sim, realiza-se de forma total o que foi anunciado pelo tabernáculo de Deus que acompanhou o povo pelo deserto. Haveria forma mais viva para descrever a nova realidade do que dizer que não mais haverá lágrimas?

E agora, pela primeira vez no Apocalipse, uma frase é colocada diretamente na boca de Deus. Até agora sempre ouvimos a voz de seus mensageiros:

> *"Então, diz o que estava sentado no trono: 'Eis que eu faço novas todas as coisas!'*
> *E diz ainda: 'Escreve, porque estas palavras são fiéis e verdadeiras'"*. (21,5-6)

Colocando essas palavras na boca do próprio Deus, João dá a entender a importância dessa última mensagem que é como que o resumo de todo o Apocalipse.

"Eis que eu faço novas todas as coisas." Já pudemos notar como, em geral, João gosta de apresentar sua mensagem de forma bastante longa. Aqui temos um contraste, como se ele não pudesse encontrar palavras: a realização final das promessas de Deus está concentrada em pouquíssimas palavras. Como se desistisse de qualquer tentativa de explicação. Sabe dizer apenas que *"tudo será novo, tudo será completamente diferente, como nem sequer poderíamos imaginar"*.

Nem por isso é menor a certeza que podemos ter. Deus quer que suas palavras fiquem escritas como testemunho do que fará. São palavras firmes, que não passarão jamais. Tão certas que até se pode dizer que já se realizaram: *"Tudo está feito!"*:

> *"E disse-me ainda: 'Está feito. Eu sou o A e o Z, o começo e o fim. A quem tem sede darei gratuitamente a beber a fonte da água da vida. O vencedor herdará essas coisas, e eu serei seu Deus e ele será meu filho'"*. (21,6-7)

Deus apela para seu próprio testemunho: Ele é o princípio e o fim de tudo, é a razão e o porquê, é o senhor dos acontecimentos, tudo está em suas mãos. É o Alfa e o Ômega, a primeira e a última letra do alfabeto grego. De A ao Z tudo será comprido, nenhuma promessa ficará esquecida. Dele virá a recompensa, dele virá o castigo, finais e totais.

A recompensa é apresentada sob duas imagens: a fonte de água que matará toda sede e a adoção como filhos. A água, principalmente nas zonas áridas, é a própria vida. Aqui é a participação da própria vida divina que satisfaz todos os anseios possíveis do homem. Água que é oferecida somente para os que *"têm sede"*, que a desejaram, que fizeram sua escolha e tomaram sua decisão pela obediência. Participação final, oferecida como dom totalmente gratuito, sem maior procura nem esforço. É a chegada, é a plena satisfação.

"Eu serei seu Deus e ele será meu filho." Será a plena realização da aliança, sem perigo de qualquer infidelidade, na entrega mútua mais completa. Depois de tantas vezes o Apocalipse ter apresentado Deus como o Senhor, sentado em um trono de glória, agora encontramos a figura do pai. Tudo que é dele se torna também do homem, por herança, que é seu filho.

Com a sorte dos que permaneceram fiéis até o fim contrasta a sorte dos infiéis:

> *"Quanto aos covardes, aos infiéis, aos depravados, aos assassinos, aos dados à prostituição, aos feiticeiros, aos idólatras e a todos os mentirosos, seu quinhão é o flagelo ardente de fogo e de enxofre: é a segunda morte".* (21,8)

A Jerusalém celeste

No capítulo 17, *"um dos sete anjos que tinham as sete taças"* é que mostrou a João a terrível Prostituta. Em um contraste violento, é o mesmo anjo que se apresenta como guia a João para seu encontro com a noiva, a esposa do Cordeiro:

> *"Então, veio um dos sete anjos que tinham as sete taças cheias dos últimos flagelos e disse-me: 'Vem, e mostrar-te-ei a noiva, a esposa do Cordeiro!'*
> *E levou-me em espírito a um grande e alto monte, e mostrou-me a cidade santa, Jerusalém, que descia do céu, de junto de Deus, resplandecente da glória de Deus".* (21,9-10)

Podemos comparar a passagem com o início do capítulo 40 do profeta Ezequiel: *"... a mão de Javé veio sobre mim. Levou-me, em visões divinas, ao país de Israel e colocou-me sobre uma montanha muito alta, sobre a qual parecia construída uma cidade..."*. Aliás, toda a descrição que segue está inspirada nos capítulos 40 a 48 do profeta, que apresenta uma visão ideal da Jerusalém dos tempos do Messias.

> *"Seu esplendor era semelhante a uma pedra muito preciosa, tal como o jaspe cristalino: tinha grande e alta muralha com doze portas, guardadas por doze anjos, nas quais estavam gravados os nomes das doze tribos dos filhos de Israel. Ao leste havia três portas, ao norte três portas, ao sul três portas, e ao oeste três portas. A muralha da cidade tinha doze fundamentos, e neles os doze nomes dos doze apóstolos do Cordeiro."* (21,11-14)

Doze portas, doze anjos, nomes das doze tribos, doze fundamentos com os nomes dos doze apóstolos... Com isso fica bem marcado que a Jerusalém que se nos apresenta é a pátria verdadeira e definitiva do povo de Deus. Doze anjos lhe garantem toda a proteção. Doze alicerces, o máximo da solidez. A cidade é perfeitamente quadrada, orientada segundo os pontos cardeais, porque é a cidade perfeita, sem nenhuma falha.

> *"Aquele que falava comigo tinha uma vara de ouro, como medida para medir a cidade, suas portas e as muralhas. A cidade formava um quadrado: seu comprimento igualava à largura. Mediu, pois, a cidade com a vara de ouro: tinha doze mil estádios, sendo que seu comprimento, sua largura e sua altura eram iguais. Depois mediu a muralha: tinha cento e quarenta e quatro côvados, medida pelo anjo com a medida usada pelo homem."* (21,15-17)

Como ainda estamos lembrados, doze é o número ideal, elevado ao infinito, porque multiplicado por mil. Doze mil estádios correspondem (mais ou menos) a 2.220 km. A cidade seria um cubo perfeito, com 444 km de lado e 444 km de altura! O que nos lembra que os rabinos diziam que a Jerusalém dos tempos do Messias seria erguida no monte Sinai e chegaria até o céu... Diante de tão espantosa altura, as muralhas mais parecem enfeite: apenas 144 (12x12) côvados, mais ou menos 74 metros, de altura.

"A muralha era construída de jaspe e a cidade, de ouro puro, semelhante ao cristal puro. Os alicerces da muralha eram ornados de toda espécie de pedras preciosas. O primeiro era de jaspe, o segundo de safira, o terceiro de calcedônio, o quarto de esmeralda, o quinto de sardônio, o sexto de cornalina, o sétimo de crisólito, o oitavo de berilo, o nono de topázio, o décimo de crisópraso, o undécimo de jacinto e o duodécimo de ametista." (21,18-20)

Talvez para João e seus contemporâneos cada uma dessas pedras preciosas tivesse algum sentido especial e simbólico que já não podemos conhecer. Vamos ficar apenas com a impressão de uma visão de deslumbrante beleza, grande demais para ser traduzida em palavras humanas. Visão completada com a descrição das portas e da praça. As portas são descritas como as imaginavam os rabinos ao tentar falar do que seria Jerusalém nos tempos do Messias:

"As doze portas eram doze pérolas; cada porta era uma pérola só. A praça era de ouro puro, como vidro transparente.
Mas não vi na cidade templo algum, porque o Senhor Deus todo-poderoso é seu templo, assim como o Cordeiro. E a cidade não necessita de sol nem de lua para a iluminarem, porque a glória de Deus a ilumina, e sua lâmpada é o Cordeiro". (21,21-23)

Não havia nenhum templo na cidade. E João várias vezes apresentou o céu como o templo onde Deus teria seu trono. Grande parte de suas visões foram descritas como solenes cerimônias litúrgicas. Mas ao falar agora da Jerusalém celeste, da situação definitiva, diz expressamente que lá não haverá templo. Por que será o encontro definitivo com Deus, no face a face. Já terá passado o tempo dos véus e das figuras e das promessas e da fé.

Os versículos seguintes são praticamente tomados de Isaías (60,1-11) que falava de Jerusalém como encontro de todos os salvos, de todos os povos e nações. A Jerusalém celeste será a pátria santa universal aberta para todos. Estarão excluídos apenas os impuros, os maus, os que não aceitaram o convite:

"As nações andarão a sua luz, e os reis da terra virão trazer-lhe seus tesouros. Suas portas não se fecharão nunca, porque não haverá mais noite na cidade. Trar-lhe-ão a glória e a riqueza das nações, e nela não entrará nada de contaminado ou alguém que pratique abo-

> *minações e mentiras, mas unicamente aqueles que estão inscritos no livro da vida do Cordeiro".* (21,24-27)

Nenhuma cidade da Palestina tinha um rio que a atravessasse. E, no entanto, a água abundante era para os judeus a melhor imagem para a vida. Um rio era a vida abundante sempre renovada. Basta lembrar que, segundo a descrição do Gênesis (2,10), nascia no paraíso um rio caudaloso bastante para formar outros quatro. Ezequiel (47), falando da Jerusalém do Messias, descreve um rio que vai fertilizando o deserto até chegar ao Mar Morto, que se encherá de peixes como todo o rio. Vamos lembrar ainda o próprio evangelho de João (7,37-38): *"Se alguém tem sede, venha a mim e beba. Quem crê em mim, como diz a Escritura, de seu seio jorrarão rios de água viva".* É por isso que assim continua a descrição da cidade maravilhosa:

> *"Depois mostrou-me o anjo um rio de águas da vida, resplandecente como cristal, saindo do trono de Deus e do Cordeiro. No meio da praça, e as duas margens, estava a árvore da vida, que produz doze frutos, dando cada mês um fruto, servindo as folhas da árvore para curar as nações. Não haverá aí nada de amaldiçoado, mas nela estará o trono de Deus e do Cordeiro; seus servidores o adorarão, verão sua face, e seu nome estará em suas frontes. Já não haverá noite, nem se precisará de luz de lâmpada, ou de sol, porque o Senhor Deus a iluminará, e eles reinarão pelos séculos dos séculos".* (22,1-5)

Novamente João recorreu à linguagem poética do Gênesis. Na cidade estará a árvore da vida, a imortalidade afinal reconquistada, ou melhor, recebida como dom de Deus. É bom notar. A mensagem da Escritura começa com a descrição do paraíso. O último livro, o Apocalipse, retoma o tema, fechando o círculo: o homem afinal voltou, foi recolocado no paraíso de onde nunca deveria ter saído. A volta custou-lhe muitos sofrimentos. Inclusive a vida do Cordeiro que tira o pecado do mundo.

Todas as batalhas de agora, são apenas episódios. O que importa é olhar para a *"Terra Prometida"*, para a pátria que espera todos que souberem permanecer fiéis na fé.

EPÍLOGO

Fiel ao estilo dos apocalipses, João vai encerrar seu livro reafirmando seu valor e ao mesmo tempo fazendo uma deprecação contra falsificações.

Ratificação da profecia

Uma sequência de frases curtas, mais ou menos independentes entre si, faz lembrar a forma de um juramento, reafirmando a veracidade da mensagem e anunciando seu próximo cumprimento. Como em um coro falado, ouvimos as vozes de um anjo, de João, do Cristo e do Espírito que recapitulam o que foi anunciado. Inicialmente fala o mesmo anjo que mostrou a Jerusalém celeste:

> *"Então o anjo me disse: 'Estas palavras são fiéis e verdadeiras, e o Senhor, o Deus dos espíritos dos profetas, enviou seu anjo para mostrar a seus servidores o que deve acontecer em breve. Eis que venho em breve! Felizes aqueles que guardam as palavras da profecia deste livro'".* (22,6-7)

"Eis que venho!" São palavras do Cristo. Aos que tinham a impressão que Deus tardava a realizar suas promessas, o senhor anuncia: *"Venho logo!"* Foi aliás o que todo o Apocalipse procurou mostrar: as promessas já estão sendo cumpridas. O Cristo vem em todas as suas intervenções na história da humanidade e dos indivíduos.

No início do Apocalipse lemos estas palavras: *"Felizes o leitor e os ouvintes das palavras desta profecia, se observarem seu conteúdo, porque o tempo está próximo"* (1,3). Era de se esperar que viessem repetidas agora no fecho do livro.

> *"Fui eu, João, que ouvi e vi estas coisas. E depois de as ter ouvido e visto, prostrei-me aos pés do anjo, que as mostrava, para o adorar. Mas ele me disse: 'Nada disso! Pois eu sou um servidor como tu e teus irmãos, os profetas, e aqueles que guardam as palavras deste livro. Adora a Deus!'"* (22,8-9)

É como se João estivesse assinando o livro: Fui eu, João, que ouvi e vi estas coisas! Eu sou testemunha. João queria *"adorar"* o anjo, pensando que estivesse diante do próprio Deus? É possível. Mas pode também ser que o anjo estivesse simplesmente recusando uma homenagem de veneração e não de adoração pura e simples. Ou pode ser também que o episódio fosse um simples pretexto para reafirmar a soberania de Deus, o único Senhor.

> *"Ele disse ainda: 'Não feches com um selo as palavras da profecia deste livro, porque o tempo está próximo. O injusto faça ainda injustiças, o impuro pratique impurezas; mas o justo faça a justiça e o santo pratique a santidade. Eis que venho em breve, e a minha recompensa está comigo, para dar a cada um conforme suas obras. Eu sou o A e o Z, o primeiro e o último, o começo e o fim'.*
> *Felizes aqueles que lavam suas vestes: poderão dispor da árvore da vida e entrar na cidade pelas portas. Fora os cães, os feiticeiros, os dados à prostituição, os homicidas, os idólatras, e todos aqueles que amam e praticam a mentira!"* (22,10-15)

É o próprio Cristo quem continua dando seu testemunho em favor da mensagem do Apocalipse:

> *"Eu, Jesus, enviei o meu anjo para vos atestar estas coisas a respeito das igrejas. Eu sou a raiz e a prole de Davi, a estrela resplandecente da manhã".* (22,16)

O Espírito de Deus é o princípio vital da comunidade; faz com que ela anseie pela realização final da salvação:

> *"E o Espírito e a esposa dizem: 'Vem!' E aquele que ouvir, também diga: 'Vem!' Que aquele que tem sede, venha; e aquele que quiser, receba, gratuitamente, a água da vida!"* (22,17)

"Vem!" era o grito de invocação, usado na liturgia da Igreja primitiva: *"Maranathá"* (cf. 1Cor 16,22). Palavras da língua aramaica que significam *"O Senhor vem"*, ou *"Vem, Senhor!"* se lermos *"Maranathá"*.

Nessas palavras estão, de certo modo, condensados todos os anseios da comunidade aos quais João procurou responder com sua mensagem. Um pouco antes (22,12), pudemos ler: *"Eis que venho em breve!"*

Deprecação

Os escritos antigos costumam colocar no fim de suas obras um pedido aos copistas para que fossem fiéis. Que nada ousassem suprimir ou acrescentar. É o que faz também João:

> *"Eu declaro a todos aqueles que ouvirem as palavras da profecia deste livro: se alguém lhe acrescentar alguma coisa, Deus fará vir sobre ele as pragas descritas neste livro! E se alguém tirar qualquer coisa das palavras do livro desta profecia, Deus lhe tirará sua parte da árvore da vida e da cidade santa, descritas neste livro".* (22,18-19)

Fecho final

Para o Apocalipse, o *"Livro da Esperança"*, não poderia haver conclusão mais apropriada do que esta:

> *Aquele que atesta estas coisas diz: 'Sim, eu venho em breve!' 'Amém. Vem, Senhor Jesus'. A graça de Nosso Senhor Jesus Cristo esteja com todos vós! Amém!"* (22,20-21)

ÍNDICE

A marca FSC® é a garantia de que a madeira utilizada na fabricação do papel deste livro provém de florestas que foram gerenciadas de maneira ambientalmente correta, socialmente justa e economicamente viável.

Este livro foi composto com as famílias tipográficas Avenir, Segoe e Futura Md BT
e impresso em papel Offset 75g/m² pela **Gráfica Santuário.**